义务教育课程标准实验教科书

语文

YU WEN

五年级 上册

五年级＿＿班

姓名＿＿＿＿

义务教育课程标准实验教科书

语 文

五年级 上册

课 程 教 材 研 究 所
小学语文课程教材研究开发中心 编著

*

人民教育出版社 出版发行

网址：http://www.pep.com.cn

人民美术印刷厂印装 全国新华书店经销

*

开本：890 毫米×1 240 毫米 1/32 印张：6 字数：120 000
2005 年 6 月第 1 版 2009 年 6 月第 9 次印刷
ISBN 978 - 7 - 107 - 18704 - 9
────────────────────── 定价：7.00 元
G·11794（课）

学科编委会主任：韩绍祥　吕　达

本　册　主　编：崔　峦　蒯福棣

副　　主　　编：陈先云　孟令全

编　写　人　员：徐　轶　王　林　崔　峦　孟令全

　　　　　　　　沈大安　丁培忠　李冰霖　洪春幸

　　　　　　　　蒯福棣　陈先云　郑　宇　张德平

　　　　　　　　李云龙　周国华　王贺玲　张立霞

　　　　　　　　蔡玉琴　刘　芬

插　图　作　者：杨荟铼　郜　欣　周　申　王　巍等

责　任　编　辑：王　林　徐　轶

封　面　设　计：林荣桓

目 录

第四组

第五组

第六组

第七组

标 * 的是略读课文

标 ▲ 的是选读课文

第 一 组

一本好书，蕴含着丰富的知识和美好的情感。阅读一本好书，就是跨越时间和空间，同睿智而高尚的人对话，这是多么美妙的事情啊！古今中外有成就的人，都喜欢阅读，并善于从书中汲取营养，从而走上了成功之路。让我们养成爱好阅读的习惯，一生都与好书相伴吧！

学习这组关于读书的课文，要把握主要内容，体会作者的思想感情；还要围绕"我爱读书"这个专题进行综合性学习，体会读书的乐趣，并学习一些读书的方法。

1 窃(qiè) 读 记

　　转过街角，看见饭店的招牌，闻见炒菜的香味，听见锅勺敲打的声音，我放慢了脚步。放学后急匆匆地从学校赶到这里，目的地可不是饭店，而是紧邻它的一家书店。

　　我边走边想："昨天读到什么地方了？那本书放在哪里？左边第三排，不错……"走到门口，便看见书店里仍像往日一样挤满了顾客。我可以安心了。但我又担忧那本书会不会卖光，因为一连几天都看见有人买，昨天好像只剩下一两本了。

　　我跨进店门，暗喜没人注意。我踮起脚尖，从大人的腋(yè)下挤过去。哟(yō)，把短发弄乱了，没关系，我总算挤到里边来了。在一排排花花绿绿的书里，我的眼睛急切地寻找，却找不到那本书。从头来，再找一遍。啊！它在这里，原来不在昨天的地方了。

　　急忙打开书，一页，两页，我像一匹饿狼，贪婪(lán)地读着。我很快乐，也很惧(jù)怕——这种窃读的滋味！

　　我害怕被书店老板发现，每当我觉得当时的环境已不适宜再读下去的时候，我会知趣地放下书走出去，再走进另一家。有时，一本书要到几家书店才能读完。

本文作者林海音，选作课文时有改动。

我喜欢到顾客多的书店，因为那样不会被人注意。进来看书的人虽然很多，但是像我这样常常光顾而从不购买的，恐怕没有。因此我要把自己隐藏起来。有时我会贴在一个大人的身边，仿佛我是他的小妹妹或小女儿。

　　最令人开心的是下雨天，越是倾盆大雨我越高兴，因为那时我便有充足的理由在书店待下去。就像在屋檐下躲雨，你总不好意思赶我走吧？我有时还要装着皱起眉头，不时望着街心，好像说："这雨，害得我回不去了。"其实，我的心里却高兴地喊着："大些！再大些！"

　　当饭店飘来一阵阵菜香时，我已饿得饥肠辘(lù)辘，

那时我也不免要做白日梦：如果口袋里有钱该多好！去吃一碗热热的面条，回到这里时，已经有人给摆上了一张沙发，坐上去舒舒服服地接着看。我的腿真酸哪，不得不交替着用一条腿支撑(chēng)着，有时又靠在书柜旁，以求暂时的休息。

当书店的日光灯忽地亮了起来，我才发觉已经站在这里读了两个多钟头了。我合上书，咽了一口唾沫，好像把所有的智慧都吞下去了，然后才依依不舍地把书放回书架。

我低着头走出书店，脚站得有些麻木，我却浑身轻松。这时，我总会想起国文老师鼓励我们的话："记住，你们是吃饭长大的，也是读书长大的！"

| 窃 | 腋 | 哟 | 婪 | 惧 | 辘 | 撑 |

窃	炒	锅	踮	哟	饿	惧
充	檐	皱	碗	酸	撑	柜

1. 有感情地朗读课文。说一说作者是在什么地方读书，在那儿读书有什么不便之处。

2. 课文中有很多地方写了"我"如饥似渴地读书，抄写这样的句子，并说说自己的体会。

3. "我很快乐，也很惧怕——这种窃读的滋味！"课文中有一些语句描写了"我"的这种心理活动，找出来多读几遍，体会这样写的好处。

4. 联系课文和生活实际，说说对"你们是吃饭长大的，也是读书长大的"这句话的理解。

综合性学习

　　我们来自由组成小组开展活动，进一步感受读书的快乐。

● 搜集名人读书的故事或读书名言；

● 访问周围爱读书的人，请他们谈谈读书的体会；

● 去图书馆或书店看看，了解图书都有哪些种类；

● 给自己的图书分分类，做个书目；

● 找一本喜欢的书阅读，读书时作摘抄或填写阅读记录卡；

● 开展其他相关的活动。

　　先在小组里商量一下，准备开展哪些活动，订好计划，然后分头行动。

童年时的"窃读"，让"我"从书中得到了很大的乐趣。下面这篇文章，摘自一个小女孩同一位学者的对话。读读课文，想想他们对读书有哪些见解，再和同学交流读后的感受。

2* 小苗与大树的对话

时间：1999 年 8 月 21 日

地点：北京大学季羡林家

季羡林：苗苗，现在你是采访者，我是被采访者，你问我答，好吗？

苗　苗：好。

季羡林：那你就随便问吧。

苗　苗：爷爷，您在《我的童年》里说，您小时候，最感兴趣的是看闲书，您喜欢看《三国演义》，还能将《水浒(hǔ)传》里绿[lù]林好汉的名字背得滚瓜烂熟。爷爷，我跟您太像了，我也最喜欢看闲书。有一回上数学课，我低着头看《水浒传》，一边看，一边背一百单八将的座次，结果被老师发现了。爸爸知道这件事后，头一回打了我，虽然一点儿都不疼，可打那次以后，我再也不看《水浒传》了。

季羡林：（笑）我小时候父母不在跟前，叔父不大

　本文作者张钫，选作课文时有改动。

管我，可是他不让看闲书。怎么办呢？我就放学以后不回家，偷偷藏在一个地方看闲书。我看的闲书可多了，《彭(péng)公案》《济公传》《施公案》《三侠(xiá)五义》我都看。我是主张看闲书的，为什么呢？苗苗你说说，文章怎样才能写好呢？

苗　苗：我觉得，应该写真事。

季羡林：嗯(ńg)，你再说说，从技术上讲，怎么才能写得通顺呢？

苗　苗：得多看点儿课外书。

季羡林：是这样。文学家鲁迅曾经讲过，要把文章写好，最可靠的还是要多看书。我小时候，跟我一个妹妹一块儿看，家里的桌子底下有个盛白面的大缸，叔父一来，我们就赶紧把闲书藏到缸里头，桌上摆的，都是正课。（笑）

苗　苗：爷爷，我喜欢语文，数学不行，偏科。

季羡林：喜欢语文当然好，但语文要好，数学也要好。21世纪的青年，要能文能理。所以，不管你喜不喜欢，一定要学好数学。最近清华大学办了一个班，选的是高才生，提出要培养中西贯通、古今贯通的人才。我看，有这两个贯通还不行，还应该加一个文理贯通。三贯通，这才是21世纪的青年。

苗　苗：中西贯通，古今贯通，文理贯通，我记住了。爷爷，有人让我妈妈赶快给我找一个好外语老师，说过了12岁再学外语就永远也说不准了。爷爷，您会那么多种外语，您说，他们说得对吗？

季羡林：倒不一定是12岁，当然早学比晚学好。学外语的发音跟母语有很大的关系，有些地方的人口音太重，学起来就困难。古文也很重要。我觉得，一个小孩起码要背两百首诗，五十篇古文，这是最起码的要求。最近出了一本书，鼓励小孩背诗。我提个建议，应该再出一本散文集，从《古文观止》里选，加点儿注。小时候背的，忘不了。

苗　苗：背两百首诗，五十篇古文呀！

季羡林：（笑）可不是让你一天背下来哟。

彭侠嗯

3 走遍天下书为侣(lǚ)

如果你独自驾舟环绕世界旅行，如果你只能带一样东西供自己娱(yú)乐，你会选择哪一样？一幅美丽的图画，一本有趣的书，一盒扑克牌，一个百音盒，还是一只口琴……

似乎很难作出选择。

如果你问到我，我会毫不犹豫地回答："我会选择一本书。"

一本书！我听到有人感叹了：如果你坐船周游世界，这一趟(tàng)下来，你可以把它读上一百遍，最终你能背诵(sòng)下来。

对此，我的回答是：是的，我愿意读上一百遍，我愿意读到能背诵的程度。这有什么关系呢？你不会因为以前见过你的朋友就不愿再见到他们了吧？你不会因为熟悉家中的一切就弃家而去吧？你喜爱的书就像一个朋友，就像你的家。你已经见过朋友一百次了，可第一百零一次再见面时，你还会说："真想不到你懂这个！"你每天都回家，可不管过了多少年，你还会说："我怎么没注意过，灯光照着那个角落，光线怎么那么美！"

你总能从一本书中发现新东西，不管你看过多少遍。

本文作者是英国作家尤安·艾肯，选作课文时有改动。

所以，我愿意坐在自己的船里，一遍又一遍地读那本书。首先我会思考，故事中的人为什么这样做，作家为什么要写这个故事。然后，我会在脑子里继续把这个故事编下去，回过头来品味我最欣赏的一些片段，并问问自己为什么喜欢它们。我还会再读其他部分，并从中找到我以前忽略的东西。做完这些，我会把从书中学到的东西列个单子。最后，我会想象作者是什么样的，他会有怎样的生活经历……这真像与另一个人同船而行。

一本你喜爱的书就是一位朋友，也是一处你随时想去就去的故地。从某种意义上说，它是你自己的东西，因为世上没有两个人会用同一种方式读同一本书。

| 侣 | 娱 | 趟 | 诵 |

| 侣 | 娱 | 盒 | 豫 |
| 趟 | 诵 | 零 | 编 | 某 |

① 默读课文，说说作者选择一本书陪伴自己旅行的理由是什么。

② 作者"一遍又一遍地读那本书"的方法是什么？她的读书方法对你有什么启示？

③ 读下面的句子，再根据自己读书的感受填空。

一本你喜爱的书就是一位朋友，也是一处你随时想去就去的故地。

一本你喜爱的书就是＿＿＿＿＿＿＿＿＿，也是
＿＿＿＿＿＿＿＿＿＿＿＿＿＿＿＿＿。

④ 背诵课文第七自然段。

小练笔 假如你独自旅行，你会带上什么东西呢？仿照课文，写一写你自己的想法。

阅读链接

神奇的书

没有一艘非凡的战舰，
能像一册书，
把我们带到浩瀚的天地。

没有一匹神奇的骏马，
能像一首诗，
带我们领略人世的真谛。

即令你一贫如洗，
也没有任何栅栏能阻挡
你在书的王国遨游的步履。

多么质朴无华的车骑！
可是它装载了
人类灵魂的全部美丽！

本文作者是美国作家艾米莉·狄金森，龙芳元译。

4* 我的"长生果"

书，被人们称为人类文明的"长生果"。这个比喻(yù)，我觉得特别亲切。

像蜂蝶飞过花丛，像泉水流经山谷，我每忆及少年时代，就禁不住涌起愉悦之情。在记忆的心扉(fēi)中，少年时代的读书生活恰似一幅流光溢彩的画页，也似一阕(què)跳跃着欢快音符的乐章。

我最早的读物是被孩子们叫做"香烟人"的小画片。那是一种比火柴盒略大的硬纸片，正面印画，背面印字，是每盒香烟中的附赠物。遇到大人让孩子买烟，这美差往往被男孩抢了去，我们女孩只落了个眼羡的份儿。集得多了，就开始比赛用手掌刮"香烟人"，看谁刮得远。这时，我就卖力地呐(nà)喊助威，为的是最后能在赢家手里饱览那一大叠画片。这些印着"水浒(hǔ)""三国"故事的小画片，是我最早见到的连环画。

本文作者叶文玲，选作课文时有改动。

开始我看得津津有味，天长日久，就感到不过瘾(yǐn)了。

后来，我看到几本真正的连环画。一位爱好美术的小学教师，他有几套连环画，我看得如醉如痴：《七色花》引得我浮想联翩，《血泪仇》又叫我泪落如珠。后来，哥哥的朋友们送了我几册小书：《刘胡兰小传》《卓娅(yà)和舒拉的故事》《古丽雅的道路》……只要手中一有书，我就忘了吃忘了睡。

渐渐地，连环画一类的小书已不能使我满足了，我又发现了一块"绿洲"——小镇的文化站有几百册图书！我每天一放下书包就奔向那里。几个月的工夫，这个小图书馆所有的文艺书籍，我差不多都借阅了。我读得很快，囫(hú)囵(lún)吞枣，大有"不求甚解"的味道。吸引我的首先是故事，是各种人物的命运遭遇，他们的悲欢离合常常使我牵肠挂肚。

莎(shā)士比亚说："书籍是全世界的营养品。"像我这样对阅读如饥似渴的少年，它的功用更是不言而喻。醉心阅读使我得到了报偿。从小学三年级开始，我的作文便常常居全班之冠。阅读也大大扩展了我的想象力。在家对着一面花纹驳杂的石墙，我会呆上半天，构想种种神话传说；路上遇到一个残疾人，我会黯(àn)然神伤，编织他的悲惨身世。

记得有一次，作文的题目是《秋天来了》。教师读了一段范文之后，当大多数同学千篇一律地开始写"秋天来了，树叶黄了，一片一片地飘到了地上"时，我心里忽然掠过了不安分的一念：大家都这样写多没意思！我要用自己的眼睛去看秋天，用自己的感受去写秋天。

　　我把秋天比作一个穿着金色衣裙的仙女，她那轻飘的衣袖拂去了太阳的焦热，将明亮和清爽撒给大地；她用宽大的衣衫挡着风寒，却捧起沉甸甸的果实奉献人间。人们都爱秋天，爱她的天高气爽，爱她的云淡日丽，爱她的香飘四野。秋天，使农民的笑容格外灿烂。

　　于是，我的作文得了个"甲优"，教师在文中又圈又点，将它作为范文在班上朗读。

　　这小小的光荣，使我悟得一点道理：作文，首先构思要别出心裁，落笔也要有点与众不同的"鲜味"才好。这些领悟自然是课外读物的馈赠。

　　后来，我又不满足于只看一般的故事书了，学校图书馆那丰富的图书又像磁(cí)石一样吸引着我。那些古今中外的大部头小说使我如醉如痴，我把所有课余时间都花在借阅图书上。这时我养成了做笔记的习惯：记书中优美的词语，记描写的精彩段落。做笔记锻(duàn)炼了我的记忆力，也增强了我的理解力。

　　有一次命题作文写《一件不愉快的往事》，我的情绪分外激动，觉得自己得到了一个大显身手的好机会：小时候受过的一次委屈，平常积累的那些描写苦恼心境的词语，像酵(jiào)母似的发挥了作用。我从一个清冷的黄昏开始写，以月亮的美丽皎(jiǎo)洁和周围人的嬉笑，来反衬一个受委屈的小女孩的孤独和寂寞。写着写着，我禁不住眼泪花花。这篇充满真情实感的作文又得到了好评，被用大字誊(téng)抄出来贴在教室的墙上。可是，看到老师用红笔圈出我写的月亮"像一轮玉盘嵌在蓝色的天幕中"这段文字，说这个"嵌"字用得特别传神时，我脸红了。我不能心安理得地接受这个赞誉——因为这句描写和这个"特别传神"的"嵌"字，是我看了巴金先生的《家》后念念不忘的词句。

于是，我又悟出了一点道理：作文，要写真情实感；作文练习，开始离不开借鉴(jiàn)和模仿，但是真正打动人心的东西，应该是自己呕(ǒu)心沥(lì)血的创造。

喻 扉 呐 瘾 囤 囫

莎 磁 锻 鉴 呕 沥

词语盘点

招牌　担忧　急切　惧怕　环境　知趣
光顾　恐怕　充足　理由　屋檐　其实
支撑　鼓励　环绕　娱乐　感叹　周游
思考　品味　片段　忽略　意义　方式
倾盆大雨　毫不犹豫

读读记记

贪婪　通顺　可靠　培养　起码　比喻
心扉　呐喊　饱览　过瘾　报偿　驳杂
馈赠　磁石　锻炼　借鉴　饥肠辘辘
滚瓜烂熟　流光溢彩　津津有味　天长日久
如醉如痴　浮想联翩　囫囵吞枣　不求甚解
悲欢离合　牵肠挂肚　如饥似渴　不言而喻
千篇一律　别出心裁　与众不同　大显身手
心安理得　念念不忘　呕心沥血

在这次综合性学习中，你一定有不少收获吧？根据开展活动的情况，选择一个角度进行口语交际和习作。

《窃读记》中的小女孩，在书店里得到了"窃读"的乐趣；《小苗与大树的对话》中的小女孩，在对长辈的访谈中获得了读书的启示。在你的读书经历中，有什么样的故事和大家一起分享呢？先说一说，再写下来，可以谈你和书的故事，也可以谈你读书的体会。

如果你采访了身边爱读书的人，你可以和同学交流采访的经过，谈谈采访的心得体会，再根据采访时做的笔记，仿照课文整理出采访记录。

人们常说："开卷有益。"但也有人说："开卷未必有益，看了那些不健康的书反而有害。"你对这个问题怎么看？我们可以展开一次辩论。

辩论结束后，可以以"记一次辩论"为题，写一写这次辩论的经过，也可以把自己对这个问题的看法写下来。

回顾·拓展一

交流平台

　　"温故而知新。"学完一个单元后，我们应当对自己的学习进行小结，看看有哪些新的收获和体会。如，喜欢本组的哪篇课文？积累了哪些好词佳句？习作和口语交际能力有没有提高？围绕本专题在课外又阅读了哪些文章、书籍？我们可以围绕某一方面交流收获，也可以从多方面畅谈体会。

　　通过本次综合性学习，你对读书带来的乐趣是否有了更深的体会？你是否学到了一些行之有效的读书方法？所有这次综合性学习的收获，我们都可以回顾、交流。

日积月累

- ●一日无书，百事荒芜。　　　　　　　　（陈　寿）
- ●读书破万卷，下笔如有神。　　　　　　（杜　甫）
- ●书犹药也，善读之可以医愚。　　　　　（刘　向）
- ●黑发不知勤学早，白首方悔读书迟。　　（颜真卿）
- ●读书有三到，谓心到、眼到、口到。　　（朱　熹）

第二组

　　"露从今夜白,月是故乡明。"远离故土的人,总会思念自己的家乡,这是人世间美好的感情。让我们走进本组课文,看看那些漂泊在外的游子,是怀着一颗怎样的赤子之心,怀念和赞美故乡的吧!

　　阅读课文的时候,要用心体会作者表达的感情,并想想作者的感情是通过哪些景物或事情表达出来的。

5 古诗词三首

泊船瓜洲①

[宋] 王安石

京口②瓜洲一水间，
钟山③只隔数重山。
春风又绿江南岸，
明月何时照我还。

注释
①瓜洲：在长江北岸，扬州南面。
②京口：今江苏镇江。
③钟山：今南京市紫金山。

秋　思

[唐] 张　籍

洛阳城里见秋风，
欲作家书意万重^①。
复恐匆匆说不尽，
行人^②临发又开封^③。

注释
①意万重：形容要表达的意思很多。
②行人：这里指捎信的人。
③开封：把封好的信拆开。

长 相 思

[清] 纳兰性德

　　山一程，水一程，身向榆关①那畔②行，夜深千帐灯。　　风一更，雪一更，聒(guō)③碎乡心梦不成，故园无此声。

注释
①榆关：山海关。
②那畔：那边，此处指关外。
③聒：声音嘈杂。

 有感情地朗读课文。默写《泊船瓜洲》和《秋思》。

 说说下面诗句的意思，体会诗句表达的思想感情。

(1) 春风又绿江南岸，明月何时照我还。

(2) 洛阳城里见秋风，欲作家书意万重。

(3) 风一更，雪一更，聒碎乡心梦不成。

③ 想象《秋思》中描绘的画面，把《秋思》改写成一个小故事。

选做题 搜集表达思乡情感的诗词或歌曲，读一读或者唱一唱。

资料袋

　　据传，诗人王安石在作《泊船瓜洲》时，先写的是"春风又到江南岸"，后来他觉得"到"字不好，就改为"过"，接着又改为"入""满"等字。经过十多次修改，都不大满意。最后他从"春风何时至，又绿湖上出"这句诗受到启发，才决定改用"绿"字。

6 梅花魂(hún)

　　故乡的梅花又开了。那朵朵冷艳、缕缕幽(yōu)芳的梅花，总让我想起漂泊他乡、葬(zàng)身异国的外祖父。

　　我出生在东南亚的星岛，从小和外祖父生活在一起。外祖父年轻时读了不少经、史、诗、词，又能书善画，在星岛文坛颇(pō)负盛名。我很小的时候，外祖父常常抱着我，坐在梨花木大交椅上，一遍又一遍地教我读唐诗宋词。每当读到"独在异乡为异客，每逢佳节倍思亲""春草明年绿，王孙归不归""自在飞花轻似梦，无边丝雨细如愁"之类的句子，常会有一颗两颗冰凉的泪珠落在我的腮(sāi)边、手背。这时候，我会拍着手笑起来："外公哭了！外公哭了！"老人总是摇摇头，长长地叹一口气，说："莺儿，你还小呢，不懂！"

　　外祖父家中有不少古玩，我偶尔摆弄，老人也不甚在意。唯独书房里那一幅墨梅图，他分外爱惜，家人碰也碰不得。我五岁那年，有一回到书房玩耍，不小心在上面留了个脏手印，外祖父顿时拉下脸来。有生以来，我第一次听到他训斥我妈："孩子要管教好，这清白的梅花，是玷(diàn)污得的吗？"训罢，便用保险刀片轻轻刮去污迹，又用细绸子慢慢抹净。看见慈祥的外祖父

本文作者陈慧瑛，选作课文时有改动。

大发脾气，我心里又害怕又奇怪：一枝画梅，有什么稀罕的呢？

有一天，妈妈忽然跟我说："莺儿，我们要回中国去！"

"干吗要回去呢？"

"那儿才是我们的祖国呀！"

哦！祖国，就是那地图上像一只金鸡的地方吗？就是那拥有长江、黄河、万里长城的国土吗？我欢呼起来，小小的心充满了欢乐。

可是，我马上想起外祖父，我亲爱的外祖父。我问妈妈："外公走吗？"

"外公年纪太大了……"

我跑进外祖父的书房，老人正躺在藤沙发上。我说："外公，您也回祖国去吧！"

想不到外祖父竟像小孩子一样，"呜呜呜"地哭了起来……

离别的前一天早上，外祖父早早地起了床，把我叫到书房里，郑重地递给我一卷白杭(háng)绸包着的东西。我打开一看，原来是那幅墨梅，就说："外公，这不是您最宝贵的画吗？"

"是啊，莺儿，你要好好保存！这梅花，是我们中国最有名的花。旁的花，大抵是春暖才开花，她却不一样，愈是寒冷，愈是风欺雪压，花开得愈精神，愈秀气。

她是最有品格、最有灵魂、最有骨气的！几千年来，我们中华民族出了许多有气节的人物，他们不管历经多少磨难，不管受到怎样的欺凌，从来都是顶天立地，不肯低头折节。他们就像这梅花一样。一个中国人，无论在怎样的境遇里，总要有梅花的秉(bǐng)性才好！"

回国的那一天正是元旦，虽然热带是无所谓(wèi)隆冬的，但腊月天气，也毕竟凉飕(sōu)飕的。外祖父把我们送到码头。赤道吹来的风撩乱了老人平日梳理得整整齐齐的银发，我觉得外祖父一下子衰(shuāi)老了许多。

船快开了，妈妈只好狠下心来，拉着我登上大客轮。想不到泪眼蒙眬(lóng)的外祖父也随着上了船，递给我一块手绢——一色雪白的细亚麻布上绣着血色的梅花。

多少年过去了，我每次看到外祖父珍藏的这幅梅花图和给我的手绢，就想到，这不只是花，而且是身在异国的华侨(qiáo)老人一颗眷(juàn)恋祖国的心。

魂　幽　葬　颇　腮　玷
秉　谓　飕　衰　侨　眷

魂	缕	幽	葬	愁	腮	甚
绸	呜	谓	梳	衰	绢	侨

① 有感情地朗读课文。想一想课文通过哪几件事表达了外祖父对祖国的思念之情。

② 默读课文,提出不懂的问题和同学讨论。如,"梅花魂"的"魂"是什么意思?

③ 找出描写外祖父喜爱梅花的句子读一读,体会这些句子对表达外祖父的思乡之情有什么好处。

④ 抄写课文中让你感动的语句。

故　乡

没有离开故乡的时候,
故乡,是一幅铺在地上的画。
我在画中走来走去,
只看到天边遥远的云霞。

远远地离开了故乡的时候,
故乡,是一幅挂起来的画。
一抬头,便能看见,
每当月下,透过一层薄薄的纱。

本文作者杨牧。

傲雪而立的梅花寄托着外祖父对祖国的无尽思念，香气迷人的桂花又让"我"想起了什么呢？有感情地朗读下面的课文，说说桂花给"我"带来了哪些快乐，再和同学交流读了"这里的桂花再香，也比不上家乡院子里的桂花"这句话的体会。

7* 桂花雨

中秋节前后，正是故乡桂花盛开的季节。

小时候，我无论对什么花，都不懂得欣赏。父亲总是指指点点地告诉我，这是梅花，那是木兰花……但我除了记些名字外，并不喜欢。我喜欢的是桂花。桂花树的样子笨笨的，不像梅树那样有姿态。不开花时，只见到满树的叶子；开花时，仔细地在树丛里寻找，才能看到那些小花。可是桂花的香气，太迷人了。

故乡靠海，八月是台风季节。桂花一开，母亲就开始担心了："可别来台风啊！"母亲每天都要在前后院子走一回，嘴里念着："只要不来台风，我就可以收几大箩(luó)。送一箩给胡家老爷爷，送一箩给毛家老婆婆，他们两家糕饼做得多。"

本文作者琦君，选作课文时有改动。

桂花盛开的时候，不说香飘十里，至少前后十几家邻居，没有不浸在桂花香里的。桂花成熟时，就应当"摇"。摇下来的桂花，朵朵完整、新鲜。如果让它开过，落在泥土里，尤其是被风雨吹落，比摇下来的香味就差多了。

摇花对我来说是件大事。所以，我总是缠着母亲问："妈，怎么还不摇桂花呢？"母亲说："还早呢，花开的时间太短，摇不下来的。"可是母亲一看天上布满阴云，就知道要来台风了，赶紧叫大家提前摇桂花。这下，我可乐了，帮大人抱着桂花树，使劲地摇。摇呀摇，桂花纷纷落下来，我们满头满身都是桂花。我喊着："啊！真像下雨，好香的雨啊！"

桂花摇落以后，挑去小枝小叶，晒上几天太阳，收在铁盒子里，可以加在茶叶里泡茶，过年时还可以做糕饼。全年，整个村子都浸在桂花的香气里。

我念中学的时候，全家到了杭(háng)州。杭州有一处小山，全是桂花树，花开时那才是香飘十里。秋天，我常到那儿去赏桂花。回家时，总要捧一大袋桂花给母亲。可是母亲说："这里的桂花再香，也比不上家乡院子里的桂花。"

于是，我又想起了在故乡童年时代的"摇花乐"，还有那摇落的阵阵桂花雨。

箩 杭

"我"忘不了家乡的桂花雨，下面这篇文章的作者，对故乡的哪些景致又久久不能忘怀呢？阅读课文，想象文章描写的情景，体会作者是怎样表达思乡之情的。

8* 小桥流水人家

　　一条清澈见底的小溪，终年潺(chán)潺地环绕着村庄。溪的两边，种着几棵垂柳，那长长的柔软的柳枝，随风飘动着。婀(ē)娜[nuó]的舞姿，是那么美，那么自然。有两三枝特别长的，垂在水面上，画着粼(lín)粼的波纹。当水鸟站在它的腰上歌唱时，流水也唱和着，发出悦耳的声音。

　　即使天旱，这条小溪也不会干涸(hé)。村民平时靠它来灌溉田园，清洗衣物，点缀(zhuì)风景。有时，它只有细细的流泉，从石头缝里穿过。我和一群六七岁的小朋友，最喜欢扒开石头，寻找小鱼、小虾、小螃(páng)蟹(xiè)。我们并不是捉来吃，而是养在玻璃瓶里玩儿。

本文作者谢冰莹，选作课文时有改动。

一条小小的木桥，横跨在溪上。我喜欢过桥，更高兴把采来的野花丢在桥下，让流水把它们送到远方。

我的家离小桥很近，走路五六分钟就到了。沿着溪岸向东行，还有一座长石桥，那是通到茶山去的。我曾经随着采茶女上山摘过茶叶，我喜欢欣赏茶树下面紫色的野花和黄色的野菌。至今一看到茶树，脑海里立刻会浮现出当时的情景来。

我爱我的老家，那是我出生的地方。我家只有几间矮小的平房，我出生的那间卧室，光线很暗，地面潮湿，但我非常爱它。父亲的书房就在前面，我可以天天去玩。那是一座空气流通、阳光充足、有东南两面大窗的漂亮房子。清晨，可以看到太阳从后山上的树丛里钻出来。夏天，凉爽的清风从南窗里吹进来，太舒服了！更美的是，我由东窗可以望到那条小溪和小桥，还有那几株依依多情的杨柳。

故乡的居民大都姓谢。村庄有大有小，大的有五六十户人家，小的只有三四家。大家过着"日出而作""日入而息""守望相助"的太平生活。那段日子，深深地印在我的脑海中。那些美好的印象，我一辈子也不会忘记。

潺　婀　粼　涸　缀　螃　蟹

词语盘点

幽芳　漂泊　唯独　顿时　慈祥　稀罕
离别　大抵　精神　品格　灵魂　骨气
民族　气节　磨难　欺凌　境遇　毕竟
所谓　梳理　衰老　珍藏　手绢　华侨
能书善画　风欺雪压　顶天立地　低头折节

读读记记

玷污　秉性　眷恋　姿态　迷人　至少
邻居　成熟　完整　尤其　提前　潺潺
婀娜　舞姿　粼粼　波纹　干涸　点缀
螃蟹　浮现　潮湿　流通　舒服　印象
凉飕飕　颇负盛名　香飘十里　守望相助

35

口语交际·习作二

口语交际　　　策划一次活动

我们学习了几篇表达思乡情感的课文，又在课外搜集了一些诗词和歌曲，现在，让我们来策划一次主题为"浓浓的乡情"的活动。活动可以采取朗诵诗词、演唱歌曲等形式。

确定好活动的时间和地点之后，重点讨论以下内容：表演哪些节目，由哪些同学表演，怎样表演才能使节目更精彩。可以根据班上同学的特长推选表演者，也可以自荐。课后，根据讨论列出的节目表，分头作准备，然后开展活动。

习作

本组课文，写的都是对故乡的思念之情。你长大以后，或许会离开家乡，想象一下，当某一天你回到了阔别已久的家乡，将会是怎样的情景呢？

以"二十年后回故乡"为内容写一篇习作。尽情发挥你的想象，可以写家乡发生了哪些变化，哪些地方引起了你的回忆，可以写与亲人或同学见面的情景，也可以写你想写的其他内容。回忆一下课文中作者表达感情的方法，并试着在自己的习作中加以运用。

回顾·拓展二

交流平台

　　本组课文表达的都是思乡之情，但作者不是空泛地抒情，而是用具体的景物或事情来表达。如，《梅花魂》一课中，表达的是外祖父对祖国的思念之情，这种感情是通过外祖父教"我"读唐诗宋词、送给"我"墨梅图、以梅花讲述中国人的精神等事情表达出来的。这样写，文章更真实，也更感人。

　　我们可以交流一下，本组的几篇课文是通过哪些人、事、景、物来表达思乡之情的，还可以说一说自己的习作是怎么表达感情的。

日积月累

● 悠悠天宇旷，切切故乡情。　　　　　（张九龄）

● 浮云终日行，游子久不至。　　　　　（杜　甫）

● 落叶他乡树，寒灯独夜人。　　　　　（马　戴）

● 明月有情应识我，年年相见在他乡。　（袁　枚）

● 家在梦中何日到，春生江上几人还？　（卢　纶）

● 江南几度梅花发，人在天涯鬓已斑。　（刘　著）

趣味语文

"推敲"的来历

相传唐代诗人贾岛进京赶考，在驴背上吟了两句诗："鸟宿池边树，僧推月下门。"后来，他觉得"推"字不好，想改成"敲"字。一会儿，他又觉得"敲"字不好，又想改回"推"字。究竟用"推"还是用"敲"，一直定不下来。于是，他在驴背上一边念，手一边不停地做"推"和"敲"的动作，以至出了神，入了迷。

当时任京兆尹官职的韩愈刚好经过这条路。贾岛想得出神，竟不知道退避，一头撞进了韩愈出行的队伍。贾岛连声道歉，并讲明了事由。韩愈是一位著名的文学家，这时也忘记了责怪贾岛，和他一起琢磨起来。他想了一会儿，对贾岛说："用'敲'字好啊！因为僧人'敲'着寺门，更能显出月夜的寂静，而'推'字却不能产生这样的效果。"

"推敲"这个词语就是从这则小故事演变而来的。

第 三 组

　　在生活中，我们常常会读到说明性文章。这些文章，不论是讲清楚植物的形态特征，还是说明白动物的生活习性；不论是介绍新产品的使用方法，还是解释自然现象的形成原因，都要使用一些说明的方法。

　　学习本组的说明性文章，要抓住课文的要点，了解基本的说明方法，并试着加以运用。

鸵鸟

鸟纲　鸵鸟目　鸵鸟科

鸵鸟在全世界的鸟类中体形最大。特征是头小，脖子长裸，短翼。不能在空中飞翔，但善于奔跑。

9 鲸

不少人看到过象，都说象是很大的动物。其实还有比象大得多的动物，那就是鲸。目前已知最大的鲸约有十六万公斤重，最小的也有两千公斤。我国发现过一头近四万公斤重的鲸，约十七米长，一条舌头就有十几头大肥猪那么重。它要是张开嘴，人站在它嘴里，举起手来还摸不到它的上腭(è)，四个人围着桌子坐在它的嘴里看书，还显得很宽敞。

鲸生活在海洋里，因为体形像鱼，许多人管它叫鲸鱼。其实它不属于鱼类，而是哺乳动物。在很远的古代，鲸的祖先跟牛羊的祖先一样，生活在陆地上。后来环境发生了变化，鲸的祖先生活在靠近陆地的浅海里。又经过了很长很长的年代，它们的前肢和尾巴渐渐变成了鳍(qí)，后肢完全退化了，整个身子成了鱼的样子，适应了海洋的生活。

鲸的种类很多，总的来说可以分为两大类：一类是须鲸，没有牙齿；一类是齿鲸，有锋利的牙齿。

鲸的身子这么大，它们吃什么呢？须鲸主要吃虾和小鱼。它们在海洋里游的时候，张着大嘴，把许多小鱼小虾连同海水一齐吸进嘴里，然后闭上嘴，把海水从须板中间滤（lǜ）出来，把小鱼小虾吞进肚子里，一顿就可以吃两千多公斤。齿鲸主要吃大鱼和海兽。它们遇到大鱼和海兽，就凶猛地扑上去，用锋利的牙齿咬住，很快就吃掉了。有一种号称"海中之虎"的虎鲸，常常好几十头结成一群，围住一头三十多吨重的长须鲸，几个小时就能把它吃光。

鲸跟牛羊一样用肺呼吸，这也说明它不属于鱼类。鲸的鼻孔长在脑袋顶上，呼气的时候浮出海面，从鼻孔喷出来的气形成一股水柱，就像花园里的喷泉一样；等肺里吸足了气，再潜入水中。鲸隔一定的时间必须呼吸一次。不同种类的鲸，喷出的气形成的水柱也不一样：须鲸的水柱是垂直的，又细又高；齿鲸的水柱是倾斜的，又粗又矮。有经验的人根据水柱的形状，就可以判断鲸的种类和大小。

鲸每天都要睡觉，睡觉的时候，总是几头聚在一起。它们通常会找一个比较安全的地方，头朝里，尾巴向外，围成一圈，静静地浮在海面上。如果听到什么声响，它们立即四散游开。

鲸是胎生的，幼鲸靠吃母鲸的奶长大，这些特征也说明鲸是哺乳动物。长须鲸刚生下来就有十多米长，七千公斤重，一天能长三十公斤到五十公斤，两三年就可以长成大鲸。鲸的寿命很长，一般可以活几十年到一百年。

腭　鳍　滤

鲸	猪	腭	哺	滤
肚	肺	矮	判	胎

1. 默读课文，说说课文是从哪几个方面介绍鲸的，你最感兴趣的是什么。

2. 课文在介绍鲸的时候，使用了一些说明方法。如，列举数字，"目前已知最大的鲸约有十六万公斤重，最小的也有两千公斤"。课文还使用了哪些说明方法？找出来和同学交流。

3. 读下面的句子，说说有无加点的词语，句子的意思有什么不同，你从中受到什么启发？

(1) 须鲸主要吃虾和小鱼。

(2) 鲸隔一定的时间必须呼吸一次。

(3) 鲸每天都要睡觉，睡觉的时候，总是几头聚在一起。

小练笔 根据课文和自己搜集的资料，以"鲸的自述"为内容写一篇短文。

资料袋

　　鲸的繁殖能力很差，平均两年才产下一头幼鲸。由于人类的捕杀和海洋环境的污染，鲸的数量已经急剧减少。如，鲸类中体形最大的蓝鲸，在20世纪有近36万头被杀戮，目前仅存不到50头。在地球上生存了5000多万年的鲸，许多种类已濒临灭绝。

读完上面的课文，我们了解了一些关于鲸的知识。下面这篇文章，作者又是从哪几方面介绍松鼠的呢？阅读课文，想想课文在表达上与《鲸》有哪些相同的地方，有哪些不同的地方，再说说从哪里可以看出作者对松鼠的喜爱。

10* 松 鼠

松鼠是一种漂亮的小动物，乖巧，驯(xùn)良，很讨人喜欢。它们虽然有时也捕捉鸟雀，却不是肉食动物，常吃的是杏仁、榛(zhēn)子、榉(jǔ)实和橡栗(lì)。它们面容清秀，眼睛闪闪发光，身体矫(jiǎo)健，四肢轻快，非常敏捷，非常机警。玲珑(lóng)的小面孔，衬上一条帽缨(yīng)形的美丽尾巴，显得格外漂亮。尾巴老是翘起来，一直翘到头上，自己就躲在尾巴底下歇凉。它们常常直竖着身子坐着，像人们用手一样，用前爪往嘴里送东西吃。可以说，松鼠最不像四足兽了。

松鼠不躲藏在地底下，经常在高处活动，像飞鸟一样住在树顶上，满树林里跑，从这棵树跳到那棵树。它们在树上做窝，摘果实，喝露水，只有树被风刮得太厉害了，才到地上来。在平原地区是很少看到松鼠的。它们不接近人的住宅，也不待在小树丛里，只喜欢住在高大的老树上。在晴朗的夏夜，可以听到松鼠在树上跳着

本文作者是法国作家布封，选作课文时有改动。

叫着，互相追逐。它们好像很怕
强烈的日光，白天躲在窝里歇凉，
晚上出来奔跑，玩耍，吃东西。

　　松鼠不爱下水。有人说，松
鼠横渡溪流的时候，用一块树皮
当作船，用自己的尾巴当作帆和
舵(duò)。松鼠不像山鼠那样，一
到冬天就蛰(zhé)伏不动。它们是
十分警觉的，只要有人触动一下
松鼠所在的大树，它们就从树上
的窝里跑出来躲到树枝底下，或者逃到别的树上去。松
鼠在秋天拾榛子，塞到老树空心的缝隙里，塞得满满
的，留到冬天吃。在冬天，它们也常用爪子把雪扒开，
在雪下面找榛子。松鼠轻快极了，总是小跳着前进，有
时也连蹦带跑。它们的爪子是那样锐利，动作是那样敏
捷，一棵很光滑的高树，一忽儿就爬上去了。松鼠的叫
声很响亮，比黄鼠狼的叫声还要尖些。要是被惹恼了，
还会发出一种很不高兴的恨恨声。

　　　　　　　　　　松鼠的窝通常搭
　　　　　　　　　在树枝分杈的地方，
　　　　　　　　　又干净又暖和。它们
　　　　　　　　　搭窝的时候，先搬些
　　　　　　　　　小木片，错杂着放在

一起，再用一些干苔(tái)藓(xiǎn)编扎起来，然后把苔藓挤紧，踏平，使那建筑物足够宽敞，足够坚实。这样，它们可以带着儿女住在里面，既舒适又安全。窝口朝上，端端正正，很狭(xiá)窄，勉(miǎn)强可以进出。窝口有一个圆锥(zhuī)形的盖，把整个窝遮蔽起来，下雨时雨水向四周流去，不会落在窝里。

松鼠通常一胎生三四个。小松鼠的毛是灰褐色的，过了冬就换毛，新换的毛比脱落的毛颜色深些。它们用爪子和牙齿梳理全身的毛，身上总是光光溜溜、干干净净的。

驯　榛　榉　栗　矫　缨
舵　苔　藓　狭　勉

资料袋

布封是18世纪法国著名的博物学家、作家。他毕生从事博物学研究，用40年的时间写出了36册巨著《自然史》。这部作品对自然界作了详细而科学的描述，并因其文笔优美而著称于世。在布封的笔下，小松鼠善良可爱，大象温和憨厚，鸽子夫妇相亲相爱，具有人类的一切美好品质。

11 新型玻璃

　　夜深了，从一座陈列珍贵字画的博物馆里，突然传出了急促的报警声。警察马上赶来，抓住了一个划破玻璃企图盗窃展品的犯罪嫌(xián)疑人。你也许不会相信，报警的不是值夜班的看守，而是被划破的玻璃！这是一种特殊的玻璃，里面有一层极细的金属丝网。金属丝网接通电源，跟自动报警器相连。犯罪嫌疑人划破玻璃，碰着了金属丝网，警报就响起来了。这种玻璃叫"夹丝网防盗玻璃"，博物馆可以采用，银行可以采用，珠宝店可以采用，存放重要图纸、文件的建筑物也可以采用。

　　另一种"夹丝玻璃"不是用来防盗的。它非常坚硬，受到猛击仍安然无恙(yàng)，即使被打碎了，碎片仍然藕(ǒu)断丝连地粘在一起，不会伤人。有些国家规定，高层建筑必须采用这种安全可靠的玻璃。

　　还有一种"变色玻璃"，能够对阳光起反射作用。建筑物装上这种玻璃，从室内看外面很清楚，从外面看室内却什么也瞧不见。变色玻璃还会随着阳光的强弱而改变颜色的深浅，调节室内的光线，所以人们又把这种玻璃叫做"自动窗帘"。

　　你可能会想，窗子上的玻璃要是能使房间里冬暖夏凉，那该多好！这样的玻璃早就问世了，它就是"吸热玻璃"。在炎热的夏天，它能阻挡强烈的阳光，使室内比室外凉爽；在严寒的冬季，它能把冷空气挡在室外，使室内保持温暖。

噪(zào)音像一个来无影去无踪的"隐身人"，不像烟尘和废(fèi)水那样可以集中起来处理。尽管这位"隐身人"难以对付，人们还是想出了许多制服它的办法。"吃音玻璃"就是消除噪音的能手。临街的窗子如果装上这种玻璃，街上的声音为40分贝时，传到房间里就只剩下12分贝了。

在现代化的建筑中，新型玻璃正在起着重要作用。在新型玻璃的研制中，人们将会创造出更多的奇迹。

嫌	恙	藕	噪	废

盗	嫌	夹	恙	藕	粘	噪	废

1. 默读课文,想一想课文介绍了几种新型玻璃,它们有什么特点和作用。小组合作设计一个表格,把它们的特点和作用填在表格里。

2. 举例说一说,作者在介绍各种玻璃时运用了哪些说明方法。

3. 请你试着做一回小发明家,把你想发明的玻璃用你喜欢的方式写出来。

选做题 课后找一些商品说明书读一读,看看它们是怎样介绍商品及其使用方法的。

在日常生活中，新型玻璃发挥着很大的作用。可是你知道吗，看上去微不足道的灰尘，也有十分重要的作用。默读下面的文章，说说灰尘有哪些特点和作用，再和同学讨论一下，作者是怎样说明这些特点和作用的。

12* 假如没有灰尘

灰尘是人人讨厌的东西，它有碍环境卫生，危害人类健康。因此，古往今来，人们总是"时时勤拂拭，勿(wù)使染尘埃(āi)"。然而你可曾想到，人类的生息离不开灰尘。

假如自然界真的没有灰尘，我们将面临怎样的情形呢？

灰尘颗粒的直径一般在百万分之一毫米到几百分之一毫米之间。人眼能看到的灰尘，是灰尘中的庞然大物，细小的灰尘只有在电子显微镜下才能看见。陆地上空灰尘的主要来源是工业排放物、燃烧烟尘、土壤扬尘等。

灰尘在吸收太阳部分光线的同时向四周散射光线，如同无数个点光源。阳光经过灰尘的散射，强度大大削

本文作者周元桂，选作课文时有改动。

弱,因而变得柔和。假如大气中没有灰尘,强烈的阳光将使人无法睁开眼睛。

大气中的气体容易散射紫、蓝、青三色光,所以一般情况下天空呈现蓝色。灰尘则不同,它不加选择地散射七色阳光。我们看到遥远的天空随高度降低而逐渐由蓝变白,就是因为底层大气中的灰尘含量较高。假如大气中没有灰尘,由于只存在气体对阳光的散射,整个天空将始终是蔚蓝色的。

灰尘大多具有吸湿性能。空气中的水蒸气必须依附在灰尘上才能凝结成小水滴。这样,当空气中的水蒸气达到饱和时,分散的水汽便依附着灰尘而形成稳定的水滴,可以在空中长时间地飘浮。假如空中没有灰尘,地面上的万物都将是湿漉(lù)漉的。更严重的是,天空中难以形成云雾,也难以形成雨、雪来调节气候。从地面蒸发到大气中的水汽逐渐增加,大气中的相对湿度不断上升,就会影响生物的生存。此外,由于这些小水滴对阳光的折射作用,才会有晚霞朝晖、闲云迷雾、彩虹日晕(yùn)等气象万千的自然景色。假如空中没有灰尘,大自然将多么单调啊!

勿 埃 漉 晕

词语盘点

读读写写

目前　上腭　哺乳　退化　垂直　经验
判断　胎生　特征　寿命　珍贵　急促
报警　盗窃　犯罪　嫌疑　金属　银行
图纸　即使　规定　窗帘　保持　噪音
废水　集中　处理　对付　研制　奇迹
博物馆　安然无恙　藕断丝连

读读记记

乖巧　驯良　清秀　矫健　机警　躲藏
追逐　强烈　溪流　警觉　触动　锐利
错杂　苔藓　狭窄　勉强　遮蔽　然而
面临　颗粒　来源　分裂　飘浮　削弱
柔和　性能　依附　稳定　朝晖　单调
古往今来　庞然大物　气象万千

口语交际 　　我是"小小推销员"

　　这次口语交际，我们来做"小小推销员"，向别人介绍一种"商品"。

　　为了清楚地介绍这种"商品"，你可以先阅读有关的说明书，再想想从哪些方面介绍。比如，"商品"的外观、规格、用途、使用方法。在介绍时，你可以试着用上一些说明方法。为了使你的"推销"打动"顾客"，你还可以把"商品"带到学校，边展示边介绍。

　　一个同学介绍的时候，其他同学要认真听，提出想要了解的问题。对"顾客"提出的问题，"推销员"要耐心解答。最后评一评，哪些同学介绍得好。

习作

读了本组课文，你一定体会到了说明性文章的一些特点，学到了一些说明方法。本次习作，我们就练习写说明性文章。

你可以选择一种物品介绍给大家，如，蔬菜、水果、玩具、文具或电器。在习作之前，通过观察、参观、访问、阅读说明书等方式，尽可能多地了解这种物品，然后再想一想，可以从哪些方面、按照怎样的顺序来介绍，能用上哪些说明方法。

写完以后读给同学听，看看介绍清楚了没有，不清楚的地方再改一改。

回顾·拓展三

● 通过课内外阅读说明性的文章，你一定增长了不少知识，和同学一起交流这方面的收获吧！

● 单元小结的方式灵活多样，可以做卡片，也可以列表格。在本组学习中，我们了解了一些基本的说明方法。你能总结一下，填写下面的表格吗？

说明的方法	课文中的例子	习作或课外书中的例子
举例子		
列数字		
作比较		
打比方		
……		

日积月累　　　　四时之风

春风能解冻，和煦催耕种。
裙裾微动摇，花气时相送。

夏风草木熏，生机自欣欣。
小立池塘侧，荷香隔岸闻。

秋风杂秋雨，夜凉添几许。
飕飕不绝声，落叶悠悠舞。

冬风似虎狂，书斋皆掩窗。
整日呼呼响，鸟雀尽潜藏。

课外书屋

　　森林中每天都有很多新闻。比如，兔妈妈什么时候生下了小兔？黄鹂的住宅是什么样的？"林中大汉"麋鹿为什么打架？这些消息，你都能在《森林报》中看到。

　　《森林报》不是报纸，而是一本书，它是苏联著名科普作家维·比安基的代表作。这本书采用报刊的形式，用轻快的笔调，分12个月报道了森林中各种有趣的事情。有兴趣的同学可以找来读一读。相信你读了以后，一定会为森林中有那么多的趣事而感到惊奇。

　　中外还有许多著名的科普名著，如，高士其的《细菌世界历险记》，李四光的《穿过地平线》，贾兰坡的《爷爷的爷爷从哪里来》，法布尔的《昆虫记》，房龙的《地球的故事》，伊林的《十万个为什么》，我们也可以找来读一读。

第 四 组

有这样一本书——书中没有一个字，却处处都是学问；书上没有作者的姓名，但每个人都是书的作者。这本书的名字叫"生活"。善于读这本书的人，不仅会从中有所发现，得到启示，还会为这本书增添更新更美的篇章。

学习本组课文，要把握课文的主要内容，领会作者从生活中得到了哪些启示；抓住关键词句，体会这些词句的含义及表达效果。

13 钓鱼的启示

那年，我刚满十一岁。有一天，像往常一样，我跟着父亲去附近湖中的小岛上钓鱼。

那是鲈(lú)鱼捕捞开放日的前一个夜晚。我和父亲分别放好鱼饵(ěr)，然后举起鱼竿，把钓线抛了出去。晚霞辉映的湖面上溅起了一圈圈彩色的涟漪。不一会儿，月亮升起来了，湖面变得银光闪闪。

过了好长时间，鱼竿突然剧烈地抖动了一下，一定是个大家伙上钩了。我小心翼翼地一收一放，熟练地操纵(zòng)着。也许是鱼想摆脱我的鱼钩，不停地甩动着鱼尾并跳跃着，湖面上不时发出"啪啪"的声音，溅起不少水花。我等那条鱼挣扎得筋疲力尽了，迅速把它拉上岸来。啊，好大的鱼！我从来没有见过这么大的鲈鱼。我和父亲得意地欣赏着这条漂亮的大鲈鱼，看着鱼鳃(sāi)在银色的月光下轻轻翕(xī)动着。

父亲划着了一根火柴，看了看手表，这时是晚上十点，距离开放捕捞鲈鱼的时间还有两个小时。父亲盯着鲈鱼看了好一会儿，然后把目光转向了我："孩子，你得把它放回湖里去。"

"爸爸！为什么？"我急切地问道。

"你还会钓到别的鱼的。"父亲平静地说。

"可是不会钓到这么大的鱼了。"我大声争辩着，哭出了声。

我抬头看了一下四周，到处都是静悄悄的，皎(jiǎo)洁的月光下看不见其他人和船的影子。我再次把乞求的目光投向了父亲。

尽管没有人看到我们，更无人知道我是在什么时候钓到这条鲈鱼的，但是，从父亲那不容争辩的声音中，我清楚地知道，父亲的话是没有商量余地的。我慢慢地把鱼钩从大鲈鱼的嘴唇(chún)上取下来，依依不舍地把它放回湖里。大鲈鱼有力地摆动着身子，一转眼便消失在湖水中了。

转眼间三十四年过去了。当年那个沮(jǔ)丧的孩子，已是一位著名的建筑设计师了。那晚以后，我再没有钓到过那样大的鱼。但是，在人生的旅途中，我却不止一次地遇到了与那条鲈鱼相似的诱惑人的"鱼"。当我一次次地面临道德抉(jué)择的时候，就会想起父亲曾告诫(jiè)我的话：道德只是个简单的是与非的问题，实践(jiàn)起来却很难。把钓到的大鲈鱼放回湖中，一个人要是从小受到这样严格的教育的话，就会获得道德实践的勇气和力量。

三十四年前那个月光如水的夜晚，给我留下了永久的回忆和终生的启示。

鲈 饵 纵 鳃 翁 皎
唇 沮 抉 诚 践

捞	饵	溅	钩	翼	纵	啪
鳃	皎	唇	沮	诱	诚	践

① 有感情地朗读课文。想一想为什么"我"不愿意把鲈鱼放回湖里,而父亲却坚持要"我"这么做。

② 根据课文内容,用适当的词语概括"我"心情的变化。

得意 → (　　　) → (　　　) → (　　　)

③ 课文中有一些含义深刻的句子,如,"道德只是个简单的是与非的问题,实践起来却很难。"请把这样的句子找出来,并结合上下文和生活实际说说自己的理解。

④ 课文中哪些语句对你有启示?你由此想到了什么?写下来和大家交流。

一次钓鱼的经历，给"我"留下了永久的记忆；下面这篇课文的作者，在登塔远眺的时候，也获得了终生受益的启示。读读课文，说说"我"是怎样克服遇到的困难的，再联系生活实际，体会"通往广场的路不止一条"这句话的含义。

14* 通往广场的路不止一条

有一次，父亲带着我，爬上教堂高高的塔顶。脚底下，星罗棋布的村庄环抱着罗马，如蛛网般交叉的街道，一条条通往城市广场。

"好好瞧瞧吧，亲爱的孩子，"父亲和蔼地说，"通往广场的路不止一条。生活也是这样。假如你发现走这条路不能

本文作者是美国作家伊尔莎·斯奇培尔莉，黄嘉琬、黄后楼译。

到达目的地的话，就可以走另一条路试试！"

此后，我一直把父亲的教导记在心间。

我的梦想是做一名时装设计师。

有一天，我遇到了一位朋友。她的毛衣颜色很素净，却编织得极为巧妙。

"多漂亮的毛衣呀！是自己织的吗？"我问道。

"不是，"她答道，"是维黛(dài)安太太织的，她在美国学的。"

突然，我的眼前一亮，一个大胆的念头在脑海中闪现：我为什么不从毛衣入手，自己设计、制作和出售时装呢？

我画了一张黑白蝴蝶花纹的毛衣设计图，请维黛安太太先织了一件。为了观察别人的反应，我穿着这件毛衣，参加了一个时装商人的午宴(yàn)。结果，一家大商场的经理当场就向我订购了四十件，约定两星期内交货。我大喜过望，脚下仿佛踩着一朵幸福的云。

"两个星期要四十件？这根本不可能！"当我站在维黛安太太面前时，她说，"你要知道，织这么一件毛衣，我几乎要花上整整一个星期时间啊！"那朵幸福的云突然消失了，我只好垂头丧气地与她告辞。半路上，我猛然停住脚步，心想：这种毛衣虽然需要特殊技能，但在巴黎，一定还有别的妇女会织。

我跑回维黛安太太家，向她讲了自己的想法。她觉得有道理。我同维黛安太太想尽办法，终于找到了二十位心灵手巧的妇女。两个星期以后，四十件毛衣从我新开的时装店装上开往国外的货轮。从此，一条时装的河流，源源不断地从我的时装店里流了出来。

后来，我计划举办一次大型时装展，但在离展出只有十三天的时候，缝纫(rèn)姑娘们在另一家时装店的挑[tiǎo]拨下跑光了。这回该从哪儿找到一条出路呢？看来，我的时装展不得不推迟了——不然，就只有展出未缝成的衣服了。对呀！我为什么不可以搞一个不是成衣的时装展呢？

时装展如期开幕。这真是一个与众不同的展览会——有的衣服没有袖子，有的只有一只袖子，有的还只是一片布样。虽然我们展出的时装不是成衣，但从中仍然可以看出这些时装缝成后的颜色和式样。这次展览，激发了顾客的兴趣，前来订货的人络绎(yì)不绝。

父亲的教导让我一生受用不尽——通往广场的路不止一条！

黛 宴 纫 绎

15 落花生

　　我们家的后园有半亩空地。母亲说：“让它荒着怪可惜的，你们那么爱吃花生，就开辟出来种花生吧。”我们姐弟几个都很高兴，买种，翻地，播种，浇水，没过几个月，居然收获了。

　　母亲说：“今晚我们过一个收获节，请你们的父亲也来尝尝我们的新花生，好不好？”母亲把花生做成了好几样食品，还吩咐就在后园的茅(máo)亭里过这个节。

　　那晚上天色不大好。可是父亲也来了，实在很难得。

　　父亲说：“你们爱吃花生吗？”

　　我们争着答应：“爱！”

本文作者许地山，选作课文时有改动。

"谁能把花生的好处说出来？"

姐姐说："花生的味儿美。"

哥哥说："花生可以榨油。"

我说："花生的价钱便宜，谁都可以买来吃，都喜欢吃。这就是它的好处。"

父亲说："花生的好处很多，有一样最可贵：它的果实埋在地里，不像桃子、石榴、苹果那样，把鲜红嫩绿的果实高高地挂在枝头上，使人一见就生爱慕之心。你们看它矮矮地长在地上，等到成熟了，也不能立刻分辨出来它有没有果实，必须挖起来才知道。"

我们都说是，母亲也点点头。

父亲接下去说："所以你们要像花生，它虽然不好看，可是很有用。"

我说："那么，人要做有用的人，不要做只讲体面，而对别人没有好处的人。"

父亲说："对。这是我对你们的希望。"

我们谈到深夜才散。花生做的食品都吃完了，父亲的话却深深地印在我的心上。

茅

| 亩 | 尝 | 吩 | 咐 | 茅 | 榨 | 榴 |

1️⃣ 分角色朗读课文。说一说课文围绕落花生讲了哪些内容。

2️⃣ 抄写第十自然段，再说说花生最可贵的是什么，和同学交流自己的体会。

3️⃣ 下面这两句话有什么含义，你是怎样体会到的？和同学交流交流。

(1) 所以你们要像花生，它虽然不好看，可是很有用。

(2) 那么，人要做有用的人，不要做只讲体面，而对别人没有好处的人。

小练笔 作者由落花生领悟到了做人的道理，你从身边的事物中领悟到了什么？试着选择一种事物写一写。

资料袋

许地山是我国现代著名的作家、学者。他出生于台湾一个爱国志士家庭。许地山小时候，父亲曾以"落花生"作比喻教育子女，给许地山留下了深刻印象。1921年许地山开始创作时，就以"落华生"作为自己的笔名（在古文中，"华"同"花"），勉励自己要做一个具有落花生品格的人。

16* 珍 珠 鸟

真好！朋友送我一对珍珠鸟，放在一个简易的竹条编成的笼子里，笼内还有一卷干草，那是小鸟舒适又温暖的巢。

有人说，这是一种怕人的鸟。

我把它挂在窗前。那儿还有一大盆异常茂盛的法国吊兰。我便用吊兰长长的、串生着小绿叶的垂蔓(wàn)蒙盖在鸟笼上，它们就像躲进深幽的丛林一样安全，从中传出的笛儿般又细又亮的叫声，也就格外轻松自在了。

阳光从窗外射入，透过这里，吊兰那些无数指甲状的小叶，一半成了黑影，一半被照透，如同碧玉，斑斑驳驳，生意葱茏(lóng)。小鸟的影子就在这中间隐约闪动，看不完整，有时连笼子也看不出，却见它们可爱的鲜红小嘴从绿叶中伸出来。

我很少扒开叶蔓瞧它们，它们便渐渐敢伸出小脑袋

本文作者冯骥才。

瞅(chǒu)瞅我。我们就这样一点点熟悉了。

三个月后，那一团越发繁茂的绿蔓里边，发出一种尖细又娇嫩的鸣叫。我猜到，是它们有了雏(chú)儿。我呢，决不掀开叶片往里看，连添食加水时也不睁大好奇的眼睛去惊动它们。过不多久，忽然有一个更小的脑袋从叶间探出来。哟，雏儿！正是这小家伙！

它小，就能轻易地由疏格的笼子里钻出来。瞧，多么像它的父母：红嘴红脚，灰蓝色的毛，只是后背还没生出珍珠似的圆圆的白点。它好肥，整个身子好像一个蓬松的球儿。

起先，这小家伙只在笼子四周活动，随后就在屋里飞来飞去，一会儿落在柜顶上，一会儿神气十足地站在书架上，啄着书背上那些大文豪的名字，一会儿把灯绳撞得来回摇动，跟着逃到画框(kuàng)上去了。只要大鸟在笼里生气地叫一声，它就立即飞回笼里去。

我不管它。这样久了，打开窗子，它最多只在窗框上站一会儿，决不飞出去。

渐渐它胆子大了，就落在我的书桌上。它先是离我较远，见我不去伤害它，便一点点挨近，然后蹦到我的杯子上，俯下头来喝茶，再偏过脸瞅瞅我的反应。我只是微微一笑，依旧写东西。它就放开胆子跑到稿纸上，绕着我的笔尖蹦来蹦去，跳动的小红爪子在纸上发出"嚓(cā)嚓"的响声。

我不动声色地写，默默享受着这小家伙亲近的情意。这样，它完全放心了，索性用那涂了蜡(là)似的小红嘴，"嗒(dā)嗒"啄着我颤动的笔尖。我用手抚一抚它细腻(nì)的绒毛，它也不怕，反而友好地啄两下我的手指。

白天，它这样淘气地陪伴我；天色入暮，它就在父母再三的呼唤声中，飞向笼子，扭动滚圆的身子，挤开那些绿叶钻进去。

有一天，我伏案写作时，它居然落到我的肩上。我手中的笔不觉停了，生怕惊跑它。待一会儿，扭头看，这小家伙竟趴在我的肩头睡着了，银灰色的眼睑(jiǎn)盖住眸(móu)子，小红爪子刚好被胸脯上长长的绒毛盖住。我轻轻抬一抬肩，它没醒，睡得好熟！还咂(zā)咂嘴，难道在做梦？

我笔尖一动，流泻(xiè)下一时的感受：

信赖，往往创造出美好的境界。

蔓　茏　瞅　雏　框　嚓　蜡

嗒　腻　睑　眸　咂　泻

词语盘点

读读写写

附近	捕捞	鱼饵	辉映	剧烈	上钩
操纵	摆脱	鱼鳃	争辩	皎洁	乞求
嘴唇	沮丧	旅途	诱惑	告诫	实践
严格	永久	启示	收获	吩咐	榨油
便宜	可贵	石榴	爱慕	分辨	体面
银光闪闪	小心翼翼	不容争辩	依依不舍		

读读记记

抉择	环抱	和蔼	梦想	素净	巧妙
闪现	订购	约定	告辞	挑拨	如期
开幕	激发	简易	异常	葱茏	隐约
繁茂	蓬松	伤害	索性	细腻	陪伴
眼睑	咂嘴	流泻	信赖	星罗棋布	
大喜过望	心灵手巧	源源不断	络绎不绝		
受用不尽	轻松自在	不动声色			

71

　　我们常会从生活中获得启示，一件小事、一句格言、一幅漫画，都能引起我们的思考。从下面的建议中选择一个角度进行口语交际和习作。

　　在生活中，有哪些事情曾经给你以启发？从中选择一件，仔细想想这件事是怎样发生的，你从中获得了什么启示。先说一说，再写下来，注意把事情的经过讲清楚，把得到的启示说明白。

　　座右铭是用来激励或提醒自己的警句格言。比如，一个人提示自己要爱护身体，就写下一个座右铭："健康是幸福的源泉。"另一个人告诫自己要守信用，就把《论语》中的"与朋友交，言而有信"当作座右铭。

　　平时我们搜集了很多名言警句，你觉得哪句话对你启发最大？跟同学交流自己的座右铭（可以是别人说的，也可以是自己拟的），并说说是怎样理解这句话的，还可以联系生活实际，通过事例来说一说、写一写这句话对自己的启发或帮助。

图·吴孝三

　　仔细观察这组漫画，你看到了什么？想到了什么？和同学交流交流。如果你还看见过其他发人深思的漫画，也可以带到班上介绍给大家。然后根据自己介绍的漫画写一篇习作。写的方法可以多种多样，如，可以直接写漫画给自己带来的启示；也可以根据画意编一个故事，让读故事的人自己去体会漫画的含义。

回顾·拓展四

交流平台

　　本组的几篇课文有一个共同的特点，就是每篇课文都通过一些重点语句，表达了作者的感受，讲出了作者受到的启发。如《钓鱼的启示》中，作者写道："一个人要是从小受到像把钓到的大鲈鱼放回湖中这样严格的教育的话，就会获得道德实践的勇气和力量。"

　　和同学交流从课文、课外书中找出的类似语句，再抄写下来，作为自己的"生活启示录"。除此之外，还可以和同学交流其他方面的学习收获。

日积月累

- 世上无难事，只怕有心人。
- 欲要看究竟，处处细留心。
- 虚心万事能成，自满十事九空。
- 滴水能把石穿透，万事功到自然成。
- 宝剑锋从磨砺出，梅花香自苦寒来。

水滴石穿

宋朝有个叫张乖崖的县令，为官清廉正直。一天，他看见一个管理仓库的小吏从仓库出来的时候，顺手将仓库里的一枚铜钱放进了自己的口袋。他立即派人把这个小吏抓来询问。小吏心里很不服气，大声嚷道："一枚铜钱有什么大不了的？"张乖崖一听，非常生气，提笔批道："一日一钱，千日千钱；绳锯木断，水滴石穿。"意思是说，一天一枚铜钱，一千天就是一千枚铜钱，这就像绳子锯木头，水滴在石头上一样，日久天长，木头也会被锯断，石头也会被滴穿。

成语"水滴石穿"就是从这个故事来的。有时也写成"滴水穿石"。这个成语原来的意思是说缺点、错误虽小，但累积起来，就会造成很大的危害。现在，常从积极的方面来使用，比喻学习或者做事只要有恒心，坚持不懈，就能够战胜困难，取得成功。

第 五 组

综合性学习：遨游汉字王国

我们平常看书、读报、写信、作文，都离不开汉字。但是，你对汉字有更多的了解吗？

    汉字大约产生于四千多年前，它经历了漫长的演变过程，这其中有很多未解之谜。

    汉字是世界上使用人口最多的文字，曾对日本、韩国等国的文字产生过重要影响。现在，国外学习汉字、汉语的人越来越多。

    汉字书法是一门独特的艺术。古往今来，我国涌现了许多著名的书法家，他们的书法作品是艺术中的珍品。

……

你一定想更多地了解汉字吧！让我们在这段时间里，一起遨游汉字王国，开展综合性学习，感受汉字的有趣和神奇，了解汉字文化，并为纯洁祖国文字做些力所能及的事。

我们可以自由组成小组，讨论可以从哪些方面了解汉字，并结合下面的活动建议，制订一个活动计划。活动计划一般包括活动时间、活动内容、参加人员、分工情况等。活动结束以后，我们可以用多种方式展示活动的成果。

有趣的汉字

活动建议

我们每天都和汉字打交道，你是否感到汉字很有趣呢？让我们围绕汉字的有趣，有选择地开展以下活动。在开展活动前，要认真阅读提供的材料，并从中受到启发，搜集更多体现汉字神奇、有趣的资料。

◎ 搜集或编写字谜，开展猜字谜活动，体会汉字的有趣。

◎ 查找体现汉字谐音特点的古诗、歇后语、对联或笑话，和同学交流。

◎ 搜集有关汉字来历的资料，了解汉字的起源，感受汉字的有趣。

◎ 通过其他活动，体会汉字的神奇、有趣。

1 字谜七则

① 画时圆，写时方；冬时短，夏时长。

② 千字头，木字腰，
太阳出来从下照，
人人都说味道好。

③ 一点一横长，两点一横长。
你若猜不出，站着想一想。

④ 有心走不快，见水装不完，
长草难收拾，遇食就可餐。

⑤

⑥

⑦　　一些运动员在运动场接受记者采访。当记者问及他们的姓氏时，他们笑而不答，各自做了一个动作，让记者自己猜。

　　篮球运动员指了指前面的两棵树；跳高运动员顺手捡起一根木棍，放在一个土堆旁；武术运动员拿过教练的书，放在剑的旁边；围棋运动员捡了一颗棋子放在瓷盆上。猜一猜，这几位运动员分别姓什么？

2 有趣的谐音

歇后语

（1）外甥(shēng)打灯笼——照旧（舅^(jiù)）

（2）孔夫子搬家——净是输（书）

（3）小葱拌豆腐——一清（青）二白

（4）上鞋不用锥(zhuī)子——真（针）好

（5）四月的冰河——开动（冻）了

（6）隔着门缝吹喇叭——名（鸣）声在外

笑话

"枇(pí)杷(pá)"与"琵(pí)琶(pá)"

有人送枇杷给一个县官，可他在礼单上把"枇杷"错写成了"琵琶"。县官笑道："'枇杷'不是此'琵琶'，只恨当年识字差！"有个客人应声道："若使琵琶能结果，满城箫(xiāo)管尽开花。"

3 仓颉(jié)造字

　　人类早期是没有文字的，这样的时间过了很长很长。为了适应生活的需要，帮助表达、交换、记忆等，古人曾发明、使用过"结绳记事"。他们用长短不同、颜色有别的细绳，根据需要，在间隔不等的距离，打上不同形式的结，然后再依次拴在一根较粗的主绳上。其中记载的，大到历史事件，小到口角纷争，内容非常广泛。记事人经常手捻(niǎn)绳结，进行回忆和讲述，以此传给后人。

　　还有的人曾经使用过"物语"，就是用一件具体事物代表一种固定的含义。比如，有的用司哈（小柿子叶）表示"我很苦闷"，有的用火表示"我要找你"。这些虽然也属于交流思想与情感的工具，使用起来却困难重重。人类社会的发展受到了阻碍。

　　传说仓颉创造了文字。仓颉在野外的泥地上看到了鸟的足迹，它们有直有斜有交叉，富有变化，而且每个线条都那么均匀、那么优美。于是他模仿鸟的足迹创造了字的笔画。这是造字的开始。后来，他又根据龟纹、虫蛇、黍(shǔ)稷(jì)、山川、草木等的形状或动态，创造了文字。

本文作者王志耕、肖曾。

当仓颉把造的字写给人们看时，大家高兴极了，七嘴八舌地议论着，说这个字躯干弯曲，末梢放纵；那个字两边修长，躯干矮短；这个字外部轻灵，内部紧凑；那个字不方不圆，若行若飞；这个字如龙蛇盘绕，那个字似鹰隼(sǔn)雄立……还有的人评论说，远看这些字，有如鸿(hóng)鹄(hú)群游，迂(yū)回绵延；近看这些字，好像布阵排兵，井然有序。

　　就这样，人类最早的文字之一——汉字诞生了。

我能用自己的话讲一讲这个传说。

81

4 　"册""典(diǎn)""删"的来历

最初有文字的时候，人们是在兽骨、龟甲等平整的东西上用刀刻字，或用有颜色的矿石画字。直到东汉蔡伦改进了造纸技术，造纸变得比较容易了，人们才开始在纸上写字。中间那么长的时间，在什么东西上写字呢？聪明的古人想到了竹子和木头。其中，用得较多的是竹子。人们把竹子剖(pōu)成同样长、宽、厚的细长条，把竹条外面绿色的薄皮刮去，在上下的位置分别削出三角形的小缺口，然后放在火上烤，烤到竹条的"汗"全都出干了（湿的竹条容易被虫蛀(zhù)，还容易变形），再用结实的绳子绕过一个个小缺口，把竹条连缀成一块块大竹片，就可以在上面写字了。一篇文章写在一大块竹片上，卷起来捆好，就是一"册"。看看"册"字的甲骨文和金文字形 ⅲⅲ、ⅲⅲ，你一定明白了吧？想想我们

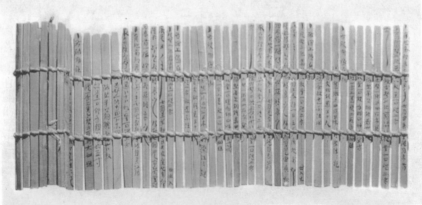

本文作者刘凌。

现在常用的"画册""史册""一册书"等词语，你对它们的理解是不是更深了？

再看这三个字形 𦥑、𠬞、𤰃，第一个是两只手恭(gōng)恭敬敬地捧着"册"；第二个字中，冂形是一个底座，其中上面是搁(gē)板，下面是支撑它的脚，"册"被庄重地安放在底座上；第三个字形，是两只手捧着"册"将它陈放在底座上。这就是"典"字。"典"是重要的、特殊保存的、作为典范来遵守的文册，所以要恭敬地存放在特殊的地方。"字典""词典"的意思就是从这里引申出来的。

在竹、木上写字，写错了怎么办？你一定猜到了吧——用刀削去错字重写。古汉语中有"删削文字"一词，指的就是修改文章。现在，当老师帮你"删改"作文时，你明白"删"为什么是立刀旁了吧？

我知道"册""典""删"这几个字是怎么造出来的了。

我还知道其他汉字的来历呢！

甥 舅 锥 鸿 迁
典 剖 蛀 恭 搁

我爱你，汉字

汉字不光神奇、有趣，还有着悠久的历史，蕴含着丰富的文化呢！让我们继续进行综合性学习，增进对汉字的了解，加深对汉字的热爱，并为纯洁祖国的语言文字做点实事。下面是一些活动建议。

◎汉字在几千年的历史中，字体发生了很大变化，让我们阅读提供的材料，再搜集更多的资料，了解汉字的历史。

◎搜集因为写错汉字、读错汉字而发生的笑话或造成不良后果的事例。

◎策划一次社会用字调查活动，如，调查招牌广告、电视字幕和书籍报刊中用字不规范的情况。在调查的基础上，写成简单的调查报告，或者给有关部门写建议书，反映调查的情况，推动社会用字的规范化。

◎书法是在汉字字体基础上形成的独特艺术门类。我们可以搜集一些书法作品，办一个书法展览，欣赏汉字的优美，还可以向班上有书法特长的同学请教练字的方法。

1 汉字的演变

甲骨文	日	D	車	馬
金 文	日	D	車	馬
小 篆	日	月	車	馬
隶 书	日	月	車	馬
楷 书	日	月	車	馬
草 书	日	月	车	马
行 书	日	月	車	馬

2 甲骨文的发现

清朝光绪年间，有个叫王懿(yì)荣的学者，他是当时的最高学府国子监(jiàn)的主管官员。

有一年他生了病，医生给他开了一个药方，让他按方服药。他见药方里有一味药叫龙骨，觉得很奇怪。吃了药以后，他就翻看药渣。这一看不要紧，却看出一件轰动天下的大事来。

原来，龙骨上有一些刻痕，是一些像字符的花纹图案。王懿荣平时酷好金石，通晓彝(yí)器①铭(míng)文②，对古文字学有很深的造诣(yì)。他想，莫非这是一种文字？

王懿荣眼睛一亮，马上来到抓药的药铺。他把药铺里的龙骨全买了回来，仔细一看，几乎每片上都有刻痕。

他把刻痕照样子画在纸上，仔细研究，发现刻在龙骨上的确实是一种文字，而且是比较完善的文字，盛行于殷(yīn)商时期。那么龙骨又是什么呢？原来是龟甲和兽骨。后来，人们就把这种文字叫做甲骨文。可以说，王懿荣是第一个发现和研究甲骨文的人。

后来，人们找到了龙骨出土的地方——河南安阳小屯村，从那里出土了一大批龙骨。从此，我国文化领域又多了一门新学科，叫"甲骨学"。

> 我能复述甲骨文被发现的经过。

---

①古代青铜器中礼器的通称。
②古代刻在碑版或器物上的文字。

3　一点值万金

　　1983年，乌鲁木齐市某挂面厂从日本引进了一条挂面生产线，随后又花了18万元从日本购进1000卷重10吨的塑料包装袋。包装袋上的图案由挂面厂请人设计、制出样品后，经挂面厂与进出口公司审查，交付日方印刷。当这批塑料袋飘洋过海运到乌鲁木齐时，细心的人发现"乌"字多了一点，乌鲁木齐变成了"鸟鲁木齐"。于是，这一点之差，使价值18万元的塑料袋变成了一堆废品。这真是一点值万金啊！如果挂面厂和进出口公司的工作人员认真检查，就不会让这18万元付之东流了。

> 我要和同学交流一下读了这篇文章的感受。

4　街头错别字

> 我也要查查作业本中有没有用错汉字的情况。

图·董天成

5 赞汉字

汪竹柏

中华汉字，生动形象。传播文明，盖世无双。

连缀成句，顿挫(cuò)抑(yì)扬。书法字体，各具特长。

篆(zhuàn)书隶(lì)书，古色古香。行书流畅，正楷端庄。

狂草奔放，凤舞龙翔。对联形式，汉字独创。

左右工整，能简能详。既便言志，又供观赏。

6 书法作品赏析

王羲之《兰亭序》(局部)

柳公权《玄秘塔碑》(局部)

7 我爱你，中国的汉字

　　我写作的时候，常常为我面前这一个个方块字而动情。它们像一群活泼可爱的孩子在纸上玩笑嬉戏，像一朵朵美丽多姿的鲜花愉悦你的眼睛。这时我真不忍将它们框在方格里，真想叫它们离开格子去舒展身体，去不受拘(jū)束地享受自己的欢乐。

　　真的，它们可不是僵硬的符号，而是有着独特性格的精灵。你看吧，每个字都有不同的风韵(yùn)。看到"太阳"这两个字，你能感触到热和力，而望见"月亮"，眼前却又闪着清丽的光辉。"轻"字使人有飘浮感，"重"字一望而沉坠(zhuì)。"笑"字令人欢快，"哭"字一看就像流泪。"冷霜"好像散发出一种寒气，"幽深"两个字一出现，你似乎进入森林或宁静的院落。当你写下"人"这个字的时候，不禁肃然起敬，并为祖先的创造赞叹不已。这些用笔画组成的美妙图画，这些由横竖撇(piě)捺(nà)构成的奇妙组合，同人的气质多么相近。它们在瞬间走进想象，然后又从想象流出，在记忆中留下无穷的回味。这是一些多么可爱的小精灵啊！在书法家的笔下，它们更能生发出无穷无尽的变化，或挺拔如峰，或清亮如溪，或浩瀚(hàn)如海，或凝滑如脂(zhī)。它们自身就有一种智慧的力量，一个想象的天地，任你尽情飞

本文作者刘湛秋，选作课文时有改动。

翔与驰骋(chěng)。在人类古老的历史长河中，有哪一个民族能像中华民族这样拥有如此丰富的书法瑰宝？

为什么中华民族成为拥有诗歌传统的民族呢？因为这些美丽而富有魅(mèi)力的文字，给使用它的人带来了诗的灵性。看着这些有色彩、有声音、有气味的字词，怎能不诱发你调动这些语言文字的情绪啊！

像徜(cháng)徉(yáng)在夏天夜晚的星空下，为那壮丽的景色而迷醉，我无限钟情于我赖以思维和交往的汉字，并震惊于它的无限活力和奇特魅力。我坚信，在人类历史的长河中，汉字将越来越被世人所珍爱。

我要有感情地朗读文章，体会作者热爱汉字的感情。

我要把自己喜欢的语句抄下来。

诣 殷 挫 抑 隶 拘 韵
撇 捺 瀚 脂 骋 魅

通过这段时间的综合性学习，你一定有很多感受和收获吧？你可以把它写下来，然后通过办手抄报、办展览、开成果汇报会等形式，展示学习成果。

这次综合性学习虽然结束了，但对汉字的探究并没有结束。有兴趣的同学还可以继续探究汉字的相关问题，比如：

◎ 要又多又快地识记汉字，有哪些好的方法？

◎ 错别字的出现有一定的规律。我们可以寻找其中的规律，想想怎样才能避免写错别字。

◎ 汉字中有一些多音字，稍不注意就会念错，想想有哪些好办法可以掌握多音字。

我们可以利用图书馆或网络，查找更多的资料进行探究。

第　六　组

　　我们在父母的爱中长大。父母的爱，是慈祥的笑容，是亲切的话语；是热情的鼓励，是严格的要求。在本组课文中，我们将看到父母之爱的一个个侧面，感受到父母之爱的深沉与宽广。

　　认真阅读课文，把握主要内容，想一想作者是怎样通过外貌、语言和动作的描写表现父母之爱的。

17 地震中的父与子

有一年，美国洛杉(shān)矶(jī)发生大地震，30万人在不到四分钟的时间里受到了不同程度的伤害。

在混(hùn)乱中，一位年轻的父亲安顿好受伤的妻子，冲向他七岁儿子的学校。那个昔(xī)日充满孩子们欢声笑语的漂亮的三层教学楼，已变成一片废墟(xū)。

他顿时感到眼前一片漆黑，大喊："阿曼(màn)达，我的儿子！"跪在地上大哭了一阵后，他猛地想起自己常对儿子说的一句话："不论发生什么，我总会跟你在一起！"他坚定地站起身，向那片废墟走去。

他知道儿子的教室在一层楼的左后角，便疾步走到那里。

就在他挖掘的时候，不断有孩子的父母急匆匆地赶来。看到这片废墟，他们痛哭并大喊："我的儿子！""我的女儿！"哭喊过后，便绝望地离开了。有些人上来拉住这位父亲，说："太晚了，没有希望了。"这位父亲双眼直直地看着这些好心人，问道："谁愿意帮助我？"没人给他肯定的回答，他便埋头接着挖。

消防队长挡住他："太危险了，随时可能发生大爆(bào)炸，请你离开。"

这位父亲问："你是不是来帮助我？"

本文作者是美国作家马克·汉林，选作课文时有改动。

警察走过来:"你很难过,我能理解,可这样做,对你自己、对他人都有危险,马上回家吧。"

"你是不是来帮助我?"

人们摇头叹息着走开了,都认为这位父亲因为失去孩子过于悲痛,精神失常了。

然而这位父亲心中只有一个念头:"儿子在等着我!"

他挖了8小时,12小时,24小时,36小时,没人再来阻挡他。他满脸灰尘,双眼布满血丝,衣服破烂不堪,到处都是血迹。挖到第38小时,他突然听见瓦砾(lì)堆底下传出孩子的声音:"爸爸,是你吗?"

是儿子的声音!父亲大喊:"阿曼达!我的儿子!"

"爸爸,真的是你吗?"

"是我,是爸爸!我的儿子!"

"我告诉同学们不要害怕,说只要我爸爸活着就一定会来救我,也能救大家。因为你说过,不论发生什么,你总会和我在一起!"

"你现在怎么样?有几个孩子活着?"

"我们这里有14个同学,都活着,我们都在教室的墙角,房顶塌下来架成个大三角形,我们没被砸着。"

父亲大声向四周呼喊:"这里有14个小孩,都活着!快来人!"

过路的人赶紧跑过来帮忙。

50分钟后，一个安全的出口开辟出来了。

　　父亲声音颤抖地说："出来吧！阿曼达。"

　　"不！爸爸。先让我的同学出去吧！我知道你会跟我在一起，我不怕。不论发生了什么，我知道你总会跟我在一起。"

　　这对了不起的父与子，无比幸福地紧紧拥抱在一起。

杉 矾 混 昔 墟 曼 爆 砾

杉 矾 混 昔 墟
曼 疾 爆 砾 砸 颤

1 有感情地朗读课文。体会父亲在救助儿子的过程中心理
有哪些变化。

2 课文结尾为什么说这是一对"了不起的父与子"呢?从
课文中找出相关的语句,和同学交流自己的看法。

3 默读课文,提出不懂的问题和同学讨论。如:

(1) 他满脸灰尘,双眼布满血丝,衣服破烂不堪,到
处都是血迹。(课文为什么要这样描写父亲的外
貌呢?)

(2) "不论发生什么,我总会跟你在一起!"(课文中
为什么反复出现类似的话?这样写有什么好处?)

小练笔 想象一下,阿曼达在废墟下会想些什么,说些什
么呢?把你想到的写下来。

96

18* 慈母情深

我一直想买一本长篇小说——《青年近卫军》。书价一元多钱。

母亲还从来没有一次给过我这么多钱。我也从来没有向母亲一次要过这么多钱。

但我想有一本《青年近卫军》，想得整天失魂落魄。

我从同学家的收音机里听到过几次《青年近卫军》的连续广播。那时我家的破收音机已经卖了，被我和弟弟妹妹们吃进肚子里了。

我来到母亲工作的地方，呆呆地将那些母亲扫视一遍，却没有发现我的母亲。

七八十台缝纫机发出的噪声震耳欲聋。

"你找谁？"

"找我妈！"

"你妈是谁？"

我大声说出了母亲的名字。

本文作者梁晓声，选作课文时有改动。

"那儿！"

一个老头儿朝最里边的角落一指。

我穿过一排排缝纫机，走到那个角落，看见一个极其瘦弱的脊背弯曲着，头和缝纫机挨得很近。周围几只灯泡烤着我的脸。

"妈——"

"妈——"

背直起来了，我的母亲。转过身来了，我的母亲。褐色的口罩上方，一对眼神疲惫的眼睛吃惊地望着我，我的母亲……

母亲大声问："你来干什么？"

"我……"

"有事快说，别耽误妈干活！"

"我……要钱……"

我本已不想说出"要钱"两个字，可是竟说出来了！

"要钱干什么？"

"买书……"

"多少钱？"

"一元五角……"

母亲掏衣兜，掏出一卷揉得皱皱的毛票，用龟[jūn]裂的手指数着。

旁边一个女人停止踏缝纫机，向母亲探过身，喊道："大姐，别给他！你供他们吃，供他们穿，供他们上学，还供他们看闲书哇！"接着又对着我喊："你看你妈这是在怎么挣钱？你忍心朝你妈要钱买书哇？"

母亲却已将钱塞在我手心里了，大声对那个女人说："我挺高兴他爱看书的！"

母亲说完，立刻又坐了下去，立刻又弯曲了背，立刻又将头俯在缝纫机板上了，立刻又陷(xiàn)入了忙碌(lù)……

那一天我第一次发现，母亲原来是那么瘦小！那一天我第一次觉得自己长大了，应该是个大人了。

我鼻子一酸，攥(zuàn)着钱跑了出去……

那天，我用那一元五角钱给母亲买了一听水果罐头。

"你这孩子，谁叫你给我买水果罐头的！不是你说

买书，妈才舍不得给你这么多钱呢！"

　　那天母亲数落了我一顿。数落完，又给我凑足了够买《青年近卫军》的钱。我想我没有权利用那钱再买任何别的东西，无论为我自己还是为母亲。

　　就这样，我有了第一本长篇小说。

陷 碌 攥

阅读链接　　纸船——寄母亲

　　　　我从不肯妄弃了一张纸，
　　　　总是留着——留着，
　　　　叠成一只一只很小的船儿。
　　　　从舟上抛下在海里。

　　　　有的被天风吹卷到舟中的窗里，
　　　　有的被海浪打湿，沾在船头上。
　　　　我仍是不灰心地每天叠着，
　　　　总希望有一只能流到我要它到的地方去。

　　　　母亲，倘若你在梦中看见一只很小的白船儿，
　　　　不要惊讶它无端入梦。
　　　　这是你至爱的女儿含着泪叠的，
　　　　万水千山，求它载着她的爱和悲哀归来。

　本文作者冰心。

19 "精彩极了"和"糟糕透了"

　　记得七八岁的时候，我写了第一首诗。母亲一念完那首诗，眼睛亮亮地，兴奋地嚷着："巴迪，真是你写的吗？多美的诗啊！精彩极了！"她搂住了我，赞扬声雨点般落到我身上。我既腼(miǎn)腆(tiǎn)又得意扬扬，点头告诉她这首诗确实是我写的。她高兴得再次拥抱了我。

　　"妈妈，爸爸下午什么时候回来？"我红着脸问。我有点迫不及待，想立刻让父亲看看我写的诗。"他晚上七点钟回来。"母亲摸着我的脑袋，笑着说。

　　整个下午我都怀着一种自豪感等待父亲回来。我用最漂亮的花体字把诗认认真真地重新誊(téng)写了一遍，还用彩色笔在它的周围描上一圈花边。将近七点钟的时候，我悄悄走进饭厅，满怀信心地把它放在餐桌父亲的位置上。

　　七点。七点一刻。七点半。父亲还没有回来。我实在等不及了。我敬仰我的父亲，他是一家影片公司的重要人物，写过好多剧本。他一定会比母亲更加赞赏我这首精彩的诗。

　　快到八点钟时，父亲终于推门而入。他进了饭厅，目光被餐桌上的那首诗吸引住了。我紧张极了。

本文作者是美国作家巴德·舒尔伯格。

"这是什么？"他伸手拿起了我的诗。

"亲爱的，发生了一件奇妙的事。巴迪写了一首诗，精彩极了……"母亲上前说道。

"对不起，我自己会判断的。"父亲开始读诗。

我把头埋得低低的。诗只有十行，可我觉得他读了几个小时。

"我看这首诗糟糕透了。"父亲把诗扔回原处。

我的眼睛湿润了，头也沉重得抬不起来。

"亲爱的，我真不懂你是什么意思！"母亲嚷着，"这不是在你的公司里。巴迪还是个孩子，这是他写的第一首诗，他需要鼓励。"

"我不明白，"父亲并不退让，"难道这世界上糟糕的诗还不够多么？"

我再也受不了了。我冲出饭厅，跑进自己的房间，扑到床上失声痛哭起来。饭厅里，父母还在为那首诗争吵着。

　　几年后，当我再拿起那首诗，不得不承认父亲是对的，那的确是一首相当糟糕的诗。不过母亲还是一如既往地鼓励我。因此我还一直在写作。有一次我鼓起勇气给父亲看了一篇我新写的短篇小说。"写得不怎么样，但还不是毫无希望。"根据父亲的批语，我学着进行修改，那时我还未满十二岁。

　　现在我已经有了很多作品，出版（bǎn）了一部部小说、戏剧和电影剧本。我越来越体会到我当初是多么幸运。我有个慈祥的母亲，她常常对我说："巴迪，这是你写的吗？精彩极了！"我还有个严厉的父亲，他总是皱着眉头，说："这个糟糕透了。"一个作家，应该说生活中的每一个人，都需要来自母亲的力量，这种爱的力量是灵感和创作的源泉。但是仅有这个是不全面的，它可能会把人引入歧（qí）途。所以还需要警告的力量来平衡，需要有人时常提醒你："小心，注意，总结，提高。"

　　这些年来，我少年时代听到的两种声音一直交织在我的耳际："精彩极了"，"糟糕透了"；"精彩极了"，"糟糕透了"……它们像两股风不断地向我吹来。我谨（jǐn）慎地把握住我生活的小船，使它不被哪一股风刮倒。我从心底里知道，"精彩极了"也好，"糟糕透了"也好，这两个极端的断言有一个共同的出发点——那就是爱。在爱的鼓舞下，我努力地向前驶去。

腼 腆 誊 版 歧 谨

糕	迪	搂	豪	誊	置	司
妙	版	慈	祥	歧	谨	慎

① 有感情地朗读课文。想一想父亲和母亲对巴迪的诗为什么会有不同的看法。

② 巴迪长大后，如何看待父母的爱？你如何看待巴迪父母对他的爱？

③ 课文中有一些含义深刻的句子，找出来联系生活实际体会体会。如：

　　我谨慎地把握住我生活的小船，使它不被哪一股风刮倒。

④ 背诵并抄写课文最后一个自然段。

小练笔 在本文作者看来，爱有两种表现形式。你在生活中有过类似的感受吗？先说一说，再写下来。

20* 学会看病

儿子长得比我高了。一天，我看他有点儿打蔫(niān)儿，就习惯性地摸摸他的头，在这一瞬间的触摸中，我知道他在发烧。

"你病了。"我说。

"噢(ō)，可能是病了。我还以为是睡觉少了呢。妈妈，我该吃点儿什么药？"他问。

我当过许多年医生，孩子有病，一般都是我在家里给治了，他几乎没有去过医院。这次，当我又准备在家里的储药柜里找药时，却突然怔(zhèng)住了。

"你长大了，你得学会看病。"我说。

"看病还用学吗？您给看看不就行了吗？"他大吃一惊。

"假如我不在家呢？"

"那我就打电话找你。"

"假如……你找不到我呢？"

本文作者毕淑敏，选作课文时有改动。

"那我就……找我爸。"

这样逼问一个生病的孩子也许是一种残忍。但我知道，总有一天他必须独立面对疾病。既然我是母亲，就应该及早教会他看病。

"假如你最终也找不到你爸呢？"

"那我就忍着。反正你们早晚会回家的。"儿子说。

"有些病是不能忍的，早治一分钟是一分钟。得了病最应该做的事是上医院。"

"妈妈，您的意思是让我独自去医院看病？"他说。

"正是。"我咬着牙说，生怕自己会改变主意。

"那好吧……"他摸着脑门，不知是虚弱还是思考。

"你到街上去打车，然后到医院。先挂号，记住，要买一个病历本。然后到内科，先到分诊台，护士让你到几号诊室你就到几号，坐在门口等。查体温的时候不要把人家的体温表打碎……"我喋(dié)喋不休地指教着。

"妈妈，您不要说了。"儿子沙哑着嗓子说。

我的心立刻软了。是啊，孩子毕竟是孩子，而且是病中的孩子。我拉起他滚烫的手，说："妈妈这就领你上医院。"他挣开我的手，说："我不是那个意思。我是说我要去找一枝笔，把您说的看病的过程记下来，我好照着办。"

儿子摇摇晃晃地走了。从他出门的那一分钟起，我就开始后悔。我想我一定是世上最狠心的母亲，在孩子有病的时候，不但不帮助他，还给他雪上加霜。我就是想锻炼他，也该领着他一道去，一路上指点指点，让他先有个印象，以后再按图索骥(jì)。这样虽说可能留不下记忆的痕迹，但来日方长，又何必在意这病中的分分秒秒呢？

　　时间艰(jiān)涩(sè)地流动着，像沙漏坠(zhuì)入我

忐(tǎn)忑(tè)不安的心房。两个小时过去了，儿子还没有回来。虽然我知道看病是件费时间的事，但我的心还是疼痛地收缩成一团。

虽然我毫无疑义地判定儿子患的只是普通感冒，如果寻找适宜锻炼看病的病种，这是最好的选择，但我还是深深地谴责自己。假如事情重来一遍，我再也不让他独自去看病了。这一刻，我只要他在我身边！

终于，走廊上响起了熟悉的脚步声，只是较平日拖沓(tà)。我开了门，倚(yǐ)在门上。

"我已经学会了看病。打了退烧针，现在我已经好多了。这真是件挺麻烦的事。不过，也没什么大不了的。"儿子骄傲地宣布。然后又补充说："您让我记的那张纸，有的地方顺序不对。"

我看着他，勇气又渐渐回到心里。我知道应该不断地磨炼他，在这个过程中，也磨炼自己。

孩子，不要埋怨我在你生病时的冷漠。总有一天，你要离我远去，独自面对生活。我预先能帮助你的，就是向你口授一张路线图，它也许不那么准确，但聊胜于无。

蔫　噢　怔　喋　艰　涩
坠　忐　忑　沓　倚

词语盘点

读读写写

地震　　混乱　　安顿　　昔日　　废墟　　坚定
挖掘　　绝望　　爆炸　　叹息　　悲痛　　颤抖
拥抱　　糟糕　　确实　　自豪　　誊写　　敬仰
奇妙　　出版　　戏剧　　严厉　　灵感　　创作
源泉　　警告　　提醒　　歧途　　谨慎　　把握
极端　　断言　　欢声笑语　　破烂不堪
满怀信心　　一如既往

读读记记

疲惫　　忙碌　　腼腆　　触摸　　残忍　　虚弱
指教　　滚烫　　后悔　　艰涩　　拖沓　　磨炼
埋怨　　冷漠　　失魂落魄　　震耳欲聋　　大吃一惊
喋喋不休　　雪上加霜　　来日方长　　忐忑不安
聊胜于无

109

口语交际

父母的爱

　　每位父母都爱自己的孩子，爱的方式却不尽相同，请先阅读几则发生在生活中的小故事。

　　▶妈妈很爱刘明明，在家里什么事情也不让她做，连书包都是妈妈帮着整理。有一次，妈妈出差，几天不在家。刘明明上学不是忘了带文具盒，就是忘了带作业本。

　　▶冯刚的学习成绩一直不太好，每次考试结束，是他最害怕的时候，因为少不了又要被爸爸训斥。爸爸每次骂完他，总是说："我爱你，才会这样严格要求你。"

　　▶李路杰对什么东西都很好奇，喜欢动手试一试。有一次，李路杰把家里的电话机拆了，却再也装不好了。爸爸知道了，没有批评他，而是亲切地说："既然你能拆开，就一定能把它装起来。"在父亲的鼓励下，李路杰终于把电话机装好了。

　　你怎样看待上述故事中爸爸妈妈的做法？你在生活中有过类似的事吗？给同学讲讲你和父母之间的故事，再谈谈自己的想法。回家以后，还可以把这三个小故事讲给爸爸妈妈听，并请他们谈谈看法。

习作

世上最爱你的人就是你的父母。可是，在生活中，有没有你不理解父母或者父母不理解你的时候？让我们借这次习作的机会，和他们交流、沟通吧！

你可以从以下几方面考虑习作的内容：

◆你曾经有过不理解父母的时候，但通过一些事情，体会到了父母的爱；

◆你可以对父母提出一些建议，比如，请他们改进教育方法，或劝说他们改掉不好的习惯；

◆你想和父母说的其他心里话。

不论写什么，都要敞开心扉，写出你最想对爸爸妈妈说的话，表达自己的真情实感。写完以后，读给爸爸妈妈听，和他们交换意见。

回顾·拓展六

交流平台

在本组课文中，有不少描写人物外貌、动作和语言的语句，如：

描写人物外貌的语句

褐色的口罩上方，一对眼神疲惫的眼睛吃惊地望着我，我的母亲……

描写人物动作的语句

他坚定地站起身，向那片废墟走去。

描写人物语言的语句

"巴迪，真是你写的吗？多美的诗啊！精彩极了！"

读一读课文中这样的语句，体会这些语句好在哪里。还可以和同学交流自己从习作或课外书中找出的类似语句。

日积月累

● 兄弟敦和睦，朋友笃诚信。　　　　　　（陈子昂）

● 孝在于质实，不在于饰貌。　　　　　　（桓　宽）

● 爱亲者，不敢恶于人；敬亲者，不敢慢于人。《孝经》

● 非淡泊无以明志，非宁静无以致远。　　（诸葛亮）

课外书屋

　　你看懂上面的漫画了吗？你觉得有趣吗？这一组漫画选自世界著名的漫画集《父与子》，作者是德国的埃·奥·卜劳恩。

　　《父与子》反映的是父子之间有趣的故事，那个秃头的大胡子爸爸，慈祥、和蔼、幽默，那个留着刺猬头的淘气儿子，调皮、聪明、可爱。《父与子》中的漫画尽管没有一个字，却很容易读懂，常使人发出会心的微笑。你也找来读读吧！

第 七 组

当五星红旗在香港上空冉冉升起的时候，当全国人民为申奥成功欢欣鼓舞的时候，我们不会忘记，在中国近代史上，曾经有过一个百年的噩梦。那是一段中华民族受尽屈辱的历史，也是一段中华儿女奋力抗争的历史。

阅读本组课文，我们要用心感受字里行间饱含的民族精神和爱国热情；还要通过多种途径搜集有关资料，学习整理资料的方法，并在语文学习中加以运用。

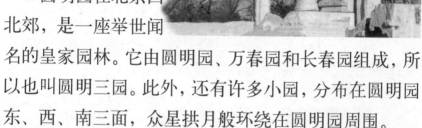

21 圆明园的毁灭

　　圆明园的毁灭是祖国文化史上不可估量的损失，也是世界文化史上不可估量的损失！

　　圆明园在北京西北郊，是一座举世闻名的皇家园林。它由圆明园、万春园和长春园组成，所以也叫圆明三园。此外，还有许多小园，分布在圆明园东、西、南三面，众星拱月般环绕在圆明园周围。

　　圆明园中，有金碧辉煌的殿堂，也有玲珑(lóng)剔(tī)透的亭台楼阁；有象征着热闹街市的"买卖街"，也有象征着田园风光的山乡村野。园中许多景物都是仿照各地名胜建造的，如，海宁的安澜园，苏州的狮子林，杭州西湖的平湖秋月、雷峰夕照；还有很多景物是根据古代诗人的诗情画意建造的，如，蓬莱(lái)瑶(yáo)台，武陵春色。园中不仅有民族建筑，还有西洋景观。漫步园内，有如漫游在天南海北，饱览着中外风景名胜；流连其间，仿佛置身在幻想的境界里。

圆明园不但建筑宏(hóng)伟，还收藏着最珍贵的历史文物。上自先秦时代的青铜礼器，下至唐、宋、元、明、清历代的名人书画和各种奇珍异宝。所以，它又是当时世界上最大的博物馆、艺术馆。

　　1860年10月6日，英法联军侵入北京，闯进圆明园。他们把园内凡是能拿走的东西，统统掠走；拿不动的，就用大车或牲口搬运；实在运不走的，就任意破坏、毁掉。为了销毁罪证，10月18日和19日，三千多名侵略者奉命在园内放火。大火连烧三天，烟云笼罩了整个北京城。我国这一园林艺术的瑰宝、建筑艺术的精华，就这样化成了一片灰烬(jìn)。

| 珑 | 剔 | 菜 | 瑶 | 宏 | 烬 |

损	皇	珑	剔	杭	菜	瑶
宏	宋	侵	统	销	瑰	烬

①有感情地朗读课文。背诵第三、四自然段。

②读下面的句子，联系课文和有关资料，说说从加点的词
语中体会到了什么。

(1) 圆明园的毁灭是祖国文化史上不可估量的损失，
也是世界文化史上不可估量的损失！

(2) 他们把园内凡是能拿走的东西，统统掠走；拿
不动的，就用大车或牲口搬运；实在运不走的，
就任意破坏、毁掉。

③课文的题目是"圆明园的毁灭"，但作者为什么用那么多
笔墨写圆明园昔日的辉煌？和同学交流自己的想法。

选做题 搜集文字或图片资料，了解旧中国曾经蒙受的耻
辱和今日祖国的强大。

22 狼牙山五壮士

1941年秋，日寇(kòu)集中兵力，向我晋察冀根据地大举进犯。当时，七连奉命在狼牙山一带坚持游击战争。经过一个多月英勇奋战，七连决定向龙王庙转移，把掩护群众和连队转移的任务交给了六班。

为了拖住敌人，七连六班的五个战士一边痛击追上来的敌人，一边有计划地把大批敌人引上了狼牙山。他们利用险要的地形，把冲上来的敌人一次又一次地打了下去。班长马宝玉沉着地指挥战斗，让敌人走近了，才下命令狠狠地打。副班长葛(gě)振林打一枪就大吼(hǒu)一声，好像细小的枪口喷不完他的满腔怒火。战士宋学义扔手榴弹总要把胳膊抡(lūn)一个圈，好使出浑身的力气。胡德林和胡福才这两个小战士把脸绷(běng)得紧紧的，全神贯注地瞄准敌人射击。敌人始终不能前进一步。在崎(qí)岖(qū)的山路上，横七竖八地躺着许多敌人的尸(shī)体。

五位战士胜利地完成了掩护任务，准备转移。面前有两条路：一条通往主力转移的方向，走这条路可以很快追上连队，可是敌人紧跟在身后；另一条是通向狼牙山的顶峰棋盘陀(tuó)，那儿三面都是悬崖绝壁。走哪条

本文作者沈重。

路呢？为了不让敌人发现群众和连队主力，班长马宝玉斩(zhǎn)钉截铁地说了一声"走！"带头向棋盘陀走去。战士们热血沸腾，紧跟在班长后面。他们知道班长要把敌人引上绝路。

五位壮士一面向顶峰攀登，一面依托大树和岩石向敌人射击。山路上又留下了许多具敌人的尸体。到了狼牙山峰顶，五位壮士居高临下，继续向紧跟在身后的敌人射击。不少敌人坠落山涧，粉身碎骨。班长马宝玉负伤了，子弹都打完了，只有胡福才手里还剩下一颗手榴弹。他刚要拧开盖子，马宝玉抢前一步，夺过手榴弹插在腰间，他猛地举起一块磨盘大的石头，大声喊道："同志们！用石头砸！"顿时，石头像雹子一样，带着五位壮士的决心，带着中国人民的仇恨，向敌人头上砸去。山坡上传来一阵叽里呱啦的叫声，敌人纷纷滚落深谷。

又一群敌人扑上来了。马宝玉嗖(sōu)的一声拔出手榴弹，拧开盖子，用尽全身气力扔向敌人。随着一声巨响，手榴弹在敌群中开了花。

五位壮士屹立在狼牙山顶峰，眺望着群众和部队主力远去的方向。他们回头望望还在向上爬的敌人，脸上露出胜利的喜悦。班长马宝玉激动地说："同志们，我们的任务胜利完成了！"说罢，他把那支从敌人手

图·詹建俊

里夺来的枪砸碎了，然后走到悬崖边上，像每次发起冲锋一样，第一个纵身跳下深谷。战士们也昂首挺胸，相继从悬崖往下跳。狼牙山上响起了他们壮烈豪迈的口号声：

"打倒日本帝国主义！"

"中国共产党(dǎng)万岁！"

这是英雄的中国人民坚强不屈的声音！这声音惊天动地，气壮山河！

寇	葛	吼	抢	绷
崎	岖	尸	斩	嗖

庙	务	葛	吼	腔	崎	岖
尸	斩	坠	雹	仇	恨	眺

1 有感情地朗读课文。背诵描写五壮士跳崖的部分。

2 默读课文，想想课文的叙述顺序，并填空。

接受任务 → （　　　　　　） → （　　　　　　） →

（　　　　　　） → 跳下悬崖

3 读下面的句子，想想带点部分的意思，说说句子好在哪里。

　(1) 为了不让敌人发现群众和连队主力，班长马宝玉斩钉截铁地说了一声"走！"带头向棋盘陀走去。

　(2) 顿时，石头像雹子一样，带着五位壮士的决心，带着中国人民的仇恨，向敌人头上砸去。

4 课文中两次讲到完成掩护任务，哪一次是作为重点来写的，为什么要这样写？

选做题 搜集、摘抄描写英雄人物的成语，看谁写得多。

狼牙山顶峰响起的壮烈的口号声，让我们感受到了日寇的凶残和中国人民的坚强不屈；1945年台湾"光复"后，从小学校里传出的朗朗读书声，又让我们感受到了什么呢？阅读下面的课文，了解主要内容，说说"我是中国人，我爱中国"这句话为什么会让作者如此激动。如果有条件，可以阅读一些相关的资料加深体会。

23*　难忘的一课

　　抗日战争胜利以后，我在台湾一家航业公司的轮船上工作。

　　有一次，我们的船停泊在高雄港口。我上了岸，穿过市区，向郊外走去。不记得走了多远，看到前面有一所乡村小学，白色的围墙，门外栽着一排树。

　　校园里很静。我走近一间教室，站在窗外，见一位年轻的台湾教师，正在教孩子们学习祖国的文字。他用粉笔在黑板上一笔一画地写着：

　　"我是中国人，我爱中国。"

　　他写得很认真，也很吃力。台湾"光复"不久，不少教师也是重新学习祖国文字的。

　　接着，他先用闽(mǐn)南语，然后又用还不太熟练的国语，一遍一遍地读。老师和孩子们都显得那么严肃认真，又那么富有感情。好像每个字、每个音，都发自他们火热而真挚的心。

我被这动人的情景吸引住了。怀着崇高的敬意，我悄悄地从后门走进教室，在最后一排空位上坐下，和孩子们一起，跟着那位教师，大声地、整齐地、一遍又一遍地朗读着：

"我是中国人，我爱中国。"

老师和孩子们发现了我，但是，好像谁也没有感到意外。从那一双双眼睛里，可以看出对我是表示欢迎的。教学继续进行着，大家朗读得更起劲了。

下课了，孩子们把我围了起来。

老师也走了过来。他热情地和我握了握手，说："我的国语讲得不好，是初学的。你知道，在日本统治时期，我们上的都是日本人办的学校，讲国语是不准许的。"

"我觉得，你今天这一课上得好极了！你教

得很有感情，孩子们学得也很有感情。"

　　接着，这位老师一定要领我去看一看他们的小礼堂。

　　说是礼堂，不过是一间比较宽敞的屋子。

　　这位老师指着礼堂两面墙上新画的几幅中国历代伟人像，说："这里原来画的都是日本人，现在'光复'了，画上了我们中国自己的伟人。"我看到上面有孔子，有诸(zhū)葛亮，有郑成功，还有孙中山。看着看着，我的眼睛不觉湿润了。这是多么强烈的民族精神，多么浓厚的爱国情意啊！

　　我紧紧地握着这位年轻的台湾教师的手，激动地重复着他刚才教给孩子们的那句话："我是中国人，我爱中国。"还有什么别的话比这句最简单的话更能表达我此时的全部感情呢？

闽 诸

1997年7月1日，在中国历史博物馆门前的香港回归倒计时牌上，当大大的零字出现的那一刻，中国人民积聚心中的爱国情感喷涌而出。让我们有感情地朗读下面的诗歌，体会诗歌表达的情感；如果有不懂的诗句，可以提出来和同学讨论，也可以查找相关资料帮助理解。

24* 最后一分钟

午夜。香港，
让我拉住你的手，
倾听最后一分钟的风雨归程。
听你越走越近的脚步，
听所有中国人的心跳和叩(kòu)问。

最后一分钟
是旗帜的形状，
是天地间缓缓上升的红色，
是旗杆——挺直的中国人的脊梁，
是展开的，香港的土地和天空，
是万众欢腾中刹(chà)那的寂静，
是寂静中谁的微微颤抖的嘴唇，

本文作者李小雨，选作课文时有改动。

是谁在泪水中一遍又一遍

轻轻呼喊着那个名字：

香港，香港，我们的心！

我看见，

虎门上空的最后一缕硝(xiāo)烟，

在百年后的最后一分钟

终于散尽；

被撕碎的历史教科书，

第1997页上，

那深入骨髓(suǐ)的伤痕，

已将血和刀光

铸(zhù)进我们的灵魂。

当一纸发黄的旧条约悄[qiǎo]然落地，

烟尘中浮现出来的

长城的脸上，黄皮肤的脸上，

是什么在缓缓地流淌——

百年的痛苦和欢乐，

都穿过这一滴泪珠，

使大海沸腾！

此刻，

是午夜，又是清晨，

所有的眼睛都是崭新的日出，
所有的礼炮都是世纪的钟声。
香港，让我紧紧拉住你的手吧，
倾听最后一分钟的风雨归程，
然后去奔跑，去拥抱，
去迎接那新鲜的
含露的、芳香的
扎根在深深大地上的
第一朵紫荆……

叩　刹　硝　髓　铸

词语盘点

读读写写

估量　损失　殿堂　宏伟　侵入　销毁
瑰宝　灰烬　进犯　转移　掩护　任务
崎岖　尸体　坠落　电子　仇恨　眺望
豪迈　举世闻名　众星拱月　玲珑剔透
亭台楼阁　诗情画意　天南海北　奇珍异宝
满腔怒火　斩钉截铁

读读记记

停泊　港口　真挚　崇高　敬意　统治
准许　礼堂　浓厚　叩问　旗帜　旗杆
脊梁　刹那　硝烟　骨髓　伤痕　痛苦
礼炮　扎根　悬崖绝壁

129

习作

　　读了文章、书籍，把自己的体会、感想写下来，就是读后感。写读后感，"读"是基础，要读懂文章想告诉我们什么；"感"是重点，要着重写出自己的感受，不宜过多地重复作品的内容。为了更好地表达自己的感受，也可以适当引用相关的资料。读读下面这篇读后感，看看对我们有哪些启发。

愤怒与惋惜
——读《圆明园的毁灭》有感

　　读了《圆明园的毁灭》这篇课文，我感到无比的愤怒。

　　圆明园是我国著名的皇家园林，全园占地三百五十多公顷，浓缩了全中国最有代表性的名胜。这项伟大的工程用了一百五十多年的时间才修建成。但是，在1860年，圆明园被英法联军抢劫一空后放火焚烧，大火烧了三天三夜。现在的圆明园，只剩下几根残柱了。

　　这帮可恶的强盗，在中国的领土上横行霸道、为所欲为。一座举世闻名的世界文化宝库，就这样在侵略者的魔爪下毁于一旦。他们不仅烧毁了我国悠久的历史文化，而且破坏了璀璨的文明。这是中华民族多少代人智慧的结晶啊！

这篇课文使我想起前些年香港的拍卖会。在拍卖会上，不是拍卖过铜牛头、铜猴头和铜虎头吗？那就是圆明园里十二生肖喷水池里的牛头、猴头和虎头。中国有关方面花费了数千万元的高价，从拍卖市场上买回了这三件国宝。这本来就是中国人的东西，我们理应拿回来，现在我们却用了昂贵的代价才买回来，这都是侵略者的罪恶。

　　如今的圆明园已被侵略者掠去了昔日的辉煌，想到这些，我感到无比的愤怒和无限的惋惜。

（被拍卖的铜牛头和铜猴头）

　　读了这组课文和搜集到的资料，你一定有很多感想吧！让我们就课文或读过的其他文章写一篇读后感。写好后和同学交换看一看，交流一下怎样才能写好读后感。

演讲：不忘国耻，振兴中华

写完读后感，你心中是否还有许多的话要说呢？可以结合自己的习作，以"不忘国耻，振兴中华"为主题，开展一次演讲活动。先想想自己要表达的主要意思，再想想从哪几个方面、用哪些事例把这个意思说清楚。根据自己搜集到的资料，列一个简单提纲，组织好语言，当众演讲。

可以先在小组里试讲，然后在全班同学面前演讲。演讲时注意恰当地运用手势。演讲以后听听同学的意见，讨论一下怎样演讲才能取得更好的效果。

回顾·拓展七

交流平台

● 通过阅读课文和搜集资料，你对旧中国所受的屈辱和新中国取得的成就有了哪些新的了解？和同学交流交流。

● 在搜集和运用资料方面，你有哪些新的收获？如，搜集到了哪些资料？是通过什么途径搜集到的？运用了哪些整理资料的方法？在哪些地方用上了搜集到的资料？

日积月累

同仇敌忾	临危不惧	勇往直前	前仆后继
力挽狂澜	中流砥柱	大义凛然	豪情壮志
不屈不挠	披荆斩棘	奋发图强	励精图治
众志成城	舍生取义	任重道远	再接再厉

展示台

烈士墓前

我们又来到了烈士墓地，
祭奠安息在这里的英灵。
我们采来大把大把的山花，
借山花表达怀念与崇敬。

是那些有名的无名的先烈，
从这片土地上赶走了死亡与战争；
是那些先烈用自己的生命，
为这片土地换来了幸福与和平。

我参观革命烈士陵园后，写了一首小诗。

我们围绕"祖国的昨天和今天"这个主题，举办了一个小型展览。

这是抗日老战士在给我们少先队员讲过去的故事。

第 八 组

　　你认识画面上的这个人吗？他就是中国人民的伟大领袖，中华人民共和国的缔造者之一——毛泽东。你想了解他吗？让我们随着课文的学习，走近毛泽东，去感受他伟人的风采和凡人的情怀。

　　学习这组课文，要体会作者的思想感情，领悟描写人物的一些基本方法。有条件的同学，还可以读一读相关的文章、书籍，看一看相关的影视作品。

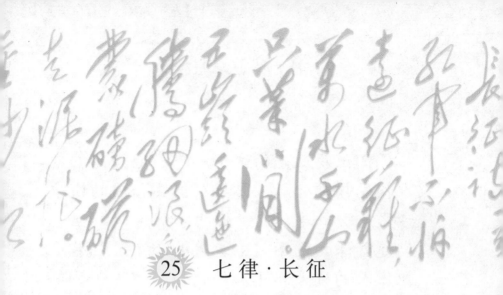

25 七律·长征

毛泽东

红军不怕远征难，

万水千山只等闲。

五岭①逶(wēi)迤(yí)腾细浪，

乌蒙②磅礴(bó)走泥丸(wán)。

金沙水拍云崖暖，

大渡桥横铁索寒。

更喜岷(mín)山千里雪，

三军过后尽开颜。

注释

①五岭：即越城岭、都庞岭、萌渚岭、骑田岭、大庾岭的总称。
　　　位于湖南、江西、广东、广西四省边境。

②乌蒙：山名。1935年4月，红军长征经过此地。

图·艾中信

磅 丸 岷

丸	崖	岷

① 有感情地朗读课文。背诵课文。

② 先说说下面诗句的意思，再联系加点的词语，体会诗句
表达了诗人怎样的情感。

(1) 五岭逶迤腾细浪，乌蒙磅礴走泥丸。

(2) 金沙水拍云崖暖，大渡桥横铁索寒。

选做题 读一读毛泽东的其他诗词，或有关长征的其他
作品。

资料袋

　　1934 年 10 月，中央主力红军为了摆脱国民党
军队的"围剿"，被迫实行战略大转移，退出根据
地进行长征。其间经过 11 个省，翻越 18 座大山，
跨过 24 条大河，走过荒无人烟的草地，行程约二
万五千里，于 1935 年 10 月到达陕北，与陕北红军
胜利会师。

图·董希文

26 开国大典

　　1949 年 10 月 1 日，中华人民共和国中央人民政府成立，在首都北京举行典礼。参加开国大典的，有中华人民共和国中央人民政府主席、副主席、各位委员，有中国人民政治协商会议全体代表，有工人、农民、学校师生、机关工作人员、城防部队，总数达三十万人。观礼台上还有外宾。

　　会场在天安门广场。广场呈丁字形。丁字形一横的北面是一道河，河上并排架着五座白石桥；再北面是城墙，城墙中央高高耸起天安门的城楼。丁字形的一竖向南直伸到中华门。在一横一竖的交点的南面，场中挺立着一根电动旗杆。

　　主席台设在天安门城楼上。城楼檐下，八盏大红宫灯分挂两边。靠着城楼左右两边的石栏，八面红旗迎风招展。

　　丁字形的广场汇集了从四面八方来的群众队伍。早上六点钟起，就有群众的队伍入场了。人们有的擎(qíng)着红旗，有的提着红灯。进入会场后，按照预定的地点排列。工人队伍中，有从老远的长辛店、丰台、通县来的铁路工人，他们清早到了北京车站，一下火车就直奔会场。郊区的农民是五更天摸着黑起床，步行四五十里^①路赶来的。到了正午，天安门广场已经成了人的海洋，红旗翻动，像海上的波浪。

下午三点整，会场上爆发出一阵排山倒海的掌声，中华人民共和国中央人民政府主席毛泽东出现在主席台上，跟群众见面了。三十万人的目光一齐投向主席台。

中央人民政府秘书长林伯渠宣布典礼开始。中央人民政府主席、副主席、各位委员就位。乐队奏起了中华人民共和国国歌——《义勇军进行曲》。正是这战斗的声音，曾经鼓舞中国人民为新中国的诞生而奋斗。接着，毛泽东主席宣布："中华人民共和国中央人民政府在今天成立了！"

这庄严的宣告，这雄伟的声音，使全场三十万人一齐欢呼起来。这庄严的宣告，这雄伟的声音，经过无线电的广播，传到长城内外，传到大江南北，使全中国人民的心一齐欢跃起来。

接着，升国旗。毛主席亲自按动连通电动旗杆的电钮(niǔ)，新中国的国旗——五星红旗徐徐上升。三十万人一齐脱帽肃立，一齐抬起头，瞻(zhān)仰这鲜红的国旗。五星红旗升起来了，表明中国人民从此站起来了。

升旗的时候，礼炮响起来。每一响都是54门大炮齐发，一共28响。起初是全场肃静，只听见炮声，只

---

①原市制单位，1里等于500米。

听见国旗和许多旗帜飘拂的声音，到后来，每一声炮响后，全场就响起一阵雷鸣般的掌声。

接着，毛主席在群众一阵又一阵的掌声中宣读中央人民政府的公告。他用强有力的语调向全世界发出新中国的声音。他读到"选举了毛泽东为中央人民政府主席"这一句的时候，广场上的人们热爱领袖的心情融成一阵热烈的欢呼。观礼台上同时响起一阵掌声。

毛主席宣读公告完毕，阅兵式开始。中国人民解放军朱德总司令任检阅司令员，聂(niè)荣臻(zhēn)将军任阅兵总指挥。朱总司令和聂将军同乘汽车，先检阅部队，然后朱总司令回到主席台，宣读中国人民解放军总部的命令。受检阅的部队就由聂将军率领，在《中国人民解放军进行曲》的乐曲声中，由东往西，缓缓进场。

开头是海军两个排，雪白的帽子，跟海洋一个颜色的蓝制服。接着是步兵一个师，以连为单位，列成方阵，齐步行进。接着是炮兵一个师，野炮、山炮、榴弹炮、火箭炮，各式各样的炮，都排成一字形的横列前进。接着是一个战车师，各种装甲车和坦克车两辆或三辆一排，整整齐齐地前进；战士们挺着胸膛站在战车上，像钢铁巨人一样。接着是一个骑兵师，"红马连"一色红马，"白马连"一色白马，五马并行，马腿的动作完全一致。以上这些部队，全都以相等的距离和相同的速度经过主席台前。当战车部队经过的时候，人民空军的飞机也一队队排成人字形，飞过天空。毛主席首先向空中招手。群众看见了，都把头上的帽子、手里的报纸和别的东西抛上天去，欢呼声盖过了飞机的隆隆声。

两个半钟头的检阅，广场上不断地欢呼，不断地鼓掌，一个高潮接着一个高潮。群众差不多把嗓子都喊哑了，把手掌都拍麻了，还觉得不能够表达自己心里的欢喜和激动。

阅兵式完毕，已经是傍晚的时候。天安门广场上的灯笼火把全都点起来，一万支礼花陆续射入天空。天上五颜六色的火花结成彩，地上千千万万的灯火一片红。群众游行就在这时候开始。游行队伍分东西两个方向出发，他们擎着灯，舞着火把，高呼"中国共产党(dǎng)万岁！""中华人民共和国万岁！""中央人民政府万岁！"他们一队一队按照次序走，走过正对天安门的白石桥前，就举起灯笼火把，高声欢呼"毛主席万岁！""毛主席万岁！"毛主席在城楼上主席台前边，向前探着身子，不断地向群众挥手，不断地高呼"人民万岁！""同志们万岁！"

晚上九点半，游行队伍才完全走出会场。两股"红流"分头向东城、西城的街道流去，光明充满了整个北京城。

擎 钮 瞻 聂 党

| 典 | 副 | 委 | 协 | 宾 | 泽 | 奏 |
| 诞 | 钮 | 瞻 | 拂 | 骑 | 嗓 | 党 |

① 有感情地朗读课文。想一想课文是按怎样的顺序记叙
开国大典的，并用自己的话说一说课文的主要内容。

② 默读课文，画出文中描写毛主席的动作和群众的反应的
语句，并说说你从中感受到了什么。

③ 读下面的句子，注意加点的词语，体会人们当时的心情，
再从课文中找出能表达人们强烈感情的句子讨论交流。

(1) 他们清早到了北京车站，一下火车就直奔会场。

(2) 三十万人的目光一齐投向主席台。

④ 背诵、抄写课文第七自然段。

学习了上面的课文，我们领略了毛泽东作为诗人和领袖的风采，我们再去了解作为普通人的毛泽东的情感世界。默读下面两篇课文，了解文章大意，把自己深受感动或特别喜欢的部分多读几遍，然后和同学交流读后的感受。

27* 青山处处埋忠骨

中南海，毛泽东的卧室。

写字台上，放着一封从朝鲜前线志愿军总部发来的、由司令员彭德怀拟(nǐ)定的电报。

主席勋(xūn)鉴：

　　今晨，我"志司"指挥部遭敌机狂轰滥炸，洪学智、毛岸英将我送入安全地域。尔后，岸英又返回指挥部取作战图。慌中未能劝告住他，致使被敌机的汽油弹击中。主席的爱子、我们"志司"的好参谋岸英同志为了人民的事业光荣殉(xùn)职……

从收到这封电报起，毛泽东整整一天没说一句话，

　本文作者晓年，选作课文时有改动。

只是一支又一支地吸着烟。桌子上的饭菜已经热了几次，还是原封不动地放在那里。岸英是他最心爱的长子。当年，地下党的同志们冒着生命危险找到了岸英，把孩子送到他身边。后来岸英去苏联留学。在国外的大学毕业后，他又亲自把爱子送到农村锻炼。那一次次的分离，岸英不都平平安安回到自己的身边来了吗？这次怎么会……

"岸英！岸英！"主席用食指按着紧锁的眉头，情不自禁地喃喃着。"主席，"秘书走进来，小声说，"彭老总来电，说岸英是主席的长子，请求破格将遗体运回国。"

秘书又凑近主席，轻声说："朝鲜金日成首相来电，向主席表示慰问，他说岸英同志是为朝鲜人民的解放事业牺牲的，也是朝鲜人民的儿子，他要求把岸英葬在朝鲜。"

主席仰起头望着天花板，强忍着心中的悲痛，目光中流露出无限的眷恋。岸英奔赴(fù)朝鲜时，他因为工作繁忙，未能见上一面，谁知竟成了永别！"儿子活着不能相见，就让我见见遗体吧！"主席想。然而，这种想法很快被打消了。他像是自我安慰地说道："我的儿子死了，我当然很悲痛，可是，战争嘛(ma)，总是要死人的。朝鲜战场上我们有多少优秀儿女献出了生命，他们的父母难道就不悲痛吗？他们就不想再见一见儿子的遗容吗？岸英是我的儿子，也是朝鲜人民的儿子，就尊重朝鲜人民的意愿吧。"

秘书将电报记录稿交主席签字的一瞬间，主席下意识地踌(chóu)躇(chú)了一会儿，那神情分明在说，岸英难道真的不在了？父子真的不能相见了？主席黯(àn)然的目光转向窗外，右手指指写字台，示意秘书将电文稿放在上面。

第二天早上，秘书来到毛主席的卧室。毛主席已经出去了，放在枕头上的电文稿写着一行醒目的大字：青山处处埋忠骨，何须马革裹尸还。

电文稿下是被泪水打湿的枕巾。

拟 勋 殉 赴 嘛 踌 躇 黯

28* 毛主席在花山

1948 年的春夏之交，毛主席转移到了花山村。在临时借用的农家房舍里，他夜以继日地为解放全中国的事业操劳着。

一天早晨，毛主席正在看地图，忽然抬起头，问警卫员："昨天这个时候，门口花椒树下的碾(niǎn)子有碾米声，现在又到了碾米的时候，怎么没动静了呢？"

警卫员说："报告主席，为了不影响您工作，我和村长商量了，要他请乡亲们到别处碾去了。"毛主席皱了皱眉，把拿起来的香烟又放下了。"这怎么行？"他严肃地说，"这会影响群众吃饭的，不能因为我们在这里工作，就影响群众的生活。昨天傍晚，我们一起散步，你也看见了，这个村只有两台石碾，让乡亲们集中到一个碾子上碾米，就会耽误一半人的正常吃饭。"

警卫员解释道："这碾子一转，对您工作干扰太大。"

毛主席递给他一支烟，自己也点燃了一支，说："这怎么会呢？多年的战争生活，使我习惯了在各种环境中工作。这样吧，我交给你一个任务，尽快把乡亲们请到这里来碾米。"

本文作者翟志刚，选作课文时有改动。

"是！"警卫员拔腿就走。

"注意，抽着烟和群众说话是不礼貌的。说话态度要诚恳。"主席说。

警卫员回头一笑："知道了，请主席放心。"他走出小院，碰上村长正和一个端簸(bò)箕(jī)的大娘说话。警卫员迎上去，问："村长，这位大娘是要去花椒树下推碾子吧？"

大娘用手拢了拢搭在耳下的头发："不，俺(ǎn)去西头。"说着转身就要走。警卫员忙对村长说："村长，是首长让我请乡亲们来花椒树下碾米。"村长沉思了一下，说："这碾子一响，就得转到天黑，怕误首长的事呢。"警卫员再三解释，村长才答应了，对那位大娘说："那你就去花椒树下碾吧。"

警卫员帮大娘端着盛玉米的簸箕回到了花椒树下的碾台。一会儿，陆续又来了几个碾米的老乡，碾台又吱(zhī)吱扭扭地转了起来。警卫员刚回到院里，毛主席就叫他。他走进去，毛主席把笔放下，说："任务完成得不错。还有一件事等着你办。"说着，毛主席从桌上拿起一筒(tǒng)茶叶，说："你把这筒茶叶交给炊(chuī)事员，让他每天这个时候沏(qī)一桶茶水，你负责给碾米的群众送去。"

警卫员知道，这筒茶叶是在南方工作的同志送的，转了几道手才送到毛主席这里，他一直没舍得喝。他站在那里，表示为难。主席说："你想过没有？我们如果没有老百姓的支持，能有今天这个局面吗？我们吃的穿的，哪一样能离开群众的支持？全国的老百姓就是我们胜利的可靠保证。反过来讲，我们进行的斗争，也正是为了全国的老百姓。这些道理你不是不明白。依我看，你是把我摆在特殊位置上了。"警卫员只好接过茶叶筒，端端正正地向毛主席敬了个礼。毛主席笑着说："快去吧，炊事员还等着你呢。"

茶沏好了，警卫员拎着清香的茶水来到碾台旁，用粗瓷（cí）碗一一晾在石板上，跟碾米的人说："乡亲们，来喝茶吧。"开始，乡亲们还不好意思，经他一动员也就不拘束了，你一碗我一碗地喝了起来。茶水对这山旮（gā）旯（lá）的群众来说，确实新鲜。一位上了年纪的大叔端着一碗水，凑到警卫员跟前，说："我说同志，这水一不甜二不辣的，喝它顶什么用？"警卫员乐呵呵地说："您老就慢慢地喝吧，一会儿就喝出味道来了。"

这时候，毛主席来了，喝茶水的乡亲们纷纷跟毛主席打招呼。毛主席笑着向大家点头，说："要说喝茶的好处，确实不少嘛，喝了它浑身有精神，还能让人多吃饭……"毛主席给乡亲们说起喝茶的好处，正在推碾子的大娘和小姑娘越推越慢，转到毛主席身边，便停了下

来。毛主席舀(yǎo)了两碗茶水送到她们母女手里，说："你们俩歇会儿吧！"然后对警卫员说："来，咱俩试试，半年多不推这玩意儿了。"毛主席推碾子还挺在行，一边推，一边用笤(tiáo)帚往碾盘里扫碾出来的玉米碎粒。一位老人细细端详着毛主席，说："这位首长，好像在哪儿见过。在哪儿呢？"

碾　簸　箕　俺　吱　筒
炊　沏　瓷　舀　笤

词语盘点

读读写写

远征　　典礼　　委员　　协商　　外宾　　汇集
按照　　预定　　排列　　波浪　　爆发　　诞生
奋斗　　庄严　　宣告　　欢呼　　电钮　　肃立
瞻仰　　肃静　　飘拂　　选举　　骑兵　　高潮
次序　　光明　　共产党　　万水千山
四面八方　　排山倒海

读读记记

磅礴　　拟定　　地域　　殉职　　奔赴　　尊重
踌躇　　黯然　　操劳　　严肃　　石碾　　干扰
诚恳　　簸箕　　为难　　胜利　　保证　　特殊
拘束　　浑身　　笤帚　　局面　　乐呵呵
夜以继日　　端端正正

口语交际　　　我爱看的革命影视作品

　　我们都爱看电影、电视，也喜欢把看过的影视作品讲给别人听。从你看过的有关毛泽东或其他革命领袖、英雄人物的电影、电视中，选一部印象最深的推荐给大家。

　　向同学推荐时，要讲清影视作品的名称，主要讲的是谁，讲的是什么事，有哪些印象深刻的情节，还可以谈谈自己的感想。

　　别人讲的时候，要认真听，并抓住要点。有不清楚的地方可以询问，还可以补充相关情节或谈自己的感想。

　　如果你没有看过这类题材的电影、电视，也可以讲一个自己听过或读过的革命领袖或英雄人物的故事。

习作

从本组课文中，我们可以学到一些写作的方法。请从下面提供的几个角度里，任选一个进行习作。

《开国大典》中，作者把开国大典的过程和场景写得很清楚。我们也可以选取一个场景，按时间顺序写下来。比如，班级联欢会，学校的一次活动，或者是电视里看到的运动会开幕式。写的时候要把场景写具体，写清楚。

我们在用文字向别人介绍一本书、一部影视作品或推荐一篇文章时，常常会用到写梗概的方法。写梗概，就是把书、文章或影视作品的主要内容用简练的语言写下来。

从最近读过的文章或看过的影视作品中，选择一个写梗概。写好之后读给同学听，然后根据同学的意见进行修改，使之更加清楚、明白。

回顾·拓展八

交流平台

● 读了这组的几篇文章,我们对毛泽东有了一些了解。和同学交流交流,你心中的毛泽东是什么样的?

● 本组课文中有一些场面描写和人物描写,你注意到了吗? 和同学交流这方面的收获,再说说自己在习作中是怎样运用的。

● 这学期的语文学习,你感受最深的是什么? 我们来小结一下各自的学习收获。如,学到了哪些新知识,积累了哪些语言材料,掌握了哪些学习方法,养成了哪些良好的学习习惯,在课外阅读、课外练笔方面有哪些新的体会。你还可以对自己的学习作出简要的评价,或者和同学相互评一评。

日积月累

卜算子·咏梅

毛泽东

风雨送春归,飞雪迎春到。已是悬崖百丈冰,犹有花枝俏。 俏也不争春,只把春来报。待到山花烂漫时,她在丛中笑。

大公无私

春秋时期，晋国有一位官员叫祁黄羊，他为人非常正直。

有一次，晋平公问祁黄羊："南阳缺个地方官，你看派谁去比较合适呢？"

祁黄羊毫不迟疑地回答："让解狐去最合适，他一定能够胜任！"

平公惊奇地问："解狐不是你的仇人吗？你为什么要推荐他呢？"

祁黄羊说："你只问我谁能够胜任，什么人最合适，并没有问我解狐是不是我的仇人呀！"

于是，平公就派解狐去南阳上任了。解狐到任后，做了不少好事，民众都称颂他。

过了些日子，平公又问祁黄羊："现在朝廷里缺少一个法官，你看谁能胜任这个职位呢？"

祁黄羊说："祁午能够胜任。"

平公又感到很奇怪，问道："祁午不是你的儿子吗？你推荐自己的儿子，不怕别人讲闲话吗？"

祁黄羊说："你只问我谁可以胜任，并没有问我祁午是不是我的儿子呀！"

平公就派了祁午去做法官。祁午当法官后，为人们办了许多好事，受到人们的欢迎与爱戴。

　　孔子听说了这两件事，十分敬佩祁黄羊。孔子说："祁黄羊说得太好了！他推荐人，完全是以才能为标准，既不因为解狐是自己的仇人，心存偏见，就不推荐；也不因为祁午是自己的儿子，怕人议论，就不推荐。像祁黄羊这样的人，才称得上是'大公无私'！"

1　黄果树听瀑

黄果树瀑布，一部大自然的杰作。车到黄果树风景区，便闻一阵"哗哗"之声自远处飘来，若微风拂过树梢，渐近渐响，最后潮水般涌漫过来，盖过了人喧马啸，天地间只存下一片奔泻的水声了。

透过树隙，便见一条白帘挂在岩壁上，上面折为三叠，似一阔幅白绢正从机杼上吐泻而下，那"哗哗"水声合成了千万架织布机的大合奏，响遏行云。

我们去时，正遇上枯水季节，瀑布的水势并不宏大，远不如徐霞客在游记中所描写的那般摄人心魄。所以游者甚为寥落，连街上的不少店铺都早早关门打烊了。据当地人介绍，盛水季节，瀑水激出的水花雨雾腾空而上，随风飘飞，漫天浮游，高达数百米，落于瀑布右侧高岩上的黄果树小镇，造成"银雨洒金街"的奇景。可惜我们去得不是时候，无缘一睹其壮观，留下了一点遗憾。

黄果树瀑布落在一片群山环抱的谷地，我们自西面顺着石阶下行，山径寂寥无人，"哗哗"的瀑布声在山谷间震荡着、回响着，似千百架低音提琴在奏鸣、在轰响。

至谷底，我们坐在水边的一块岩石上，隔着一口小

小的绿潭，那一幅白帘般的瀑布，仿佛一伸手便可撩过来拭脸似的，它跃入涧底激起的烟雾般的水珠，直扑到我们脸上，沁凉沁凉的。黄果树瀑布虽不如庐山瀑布挂得那么长，但远比它宽阔，所以气势十分雄壮。当年徐霞客描写道："上溪悬捣，万练飞空，溪上石如莲叶下覆，中剜三门，水由叶上漫顶而下。"描写得准确形象，令人叹服。

瀑布如雷轰鸣，山回谷应，我们仿佛置身于圆形乐池中，四周乐声奏鸣，人若浮身于一片声浪，每个细胞都灌满了活力，让人真正感受到自然的伟大与恢宏。

我们久坐岩上，任沁凉的飞珠扑上火热的脸庞，沾湿薄薄的衣衫。我们聆听着訇然作响的瀑声，只觉得自己的胸臆在扩展，似张开的山谷，那瀑布便直跃而进，挟来大自然生生不息的活力，回荡着大自然纯正清脆的音响。

离开潭边，我们循着石径登上溪旁的一个平台。绿树掩映间，有一座徐霞客塑像，他正遥对瀑布，作凝神谛听状，他完全沉醉了，如痴，如迷。此时此地此刻，我们也完全沉醉了，如痴，如迷。

2 斗 笠

孩子，戴上这顶斗笠吧，
你便把故乡戴在头顶。
走到哪里，你都是故乡的一朵蘑菇，
娘在梦里也能看见你不斜的身影。

孩子，戴上这顶斗笠吧，
斗笠里有我编进的鸟鸣。
走到哪里，你都能听到来自故乡的声音，
静静的夜晚，鸟鸣会滑进你的梦境。

孩子，戴上这顶斗笠吧，
让这片故乡的热土靠近你的心胸。
走到哪里，你都能采到来自故乡的温暖，
即使寒流侵袭的冬夜，你也会感到春意融融。

本文作者王宜振。

孩子，戴上这顶斗笠吧，
让这朵故乡的花儿伴你在闹市穿行。
走到哪里，你都能闻到故乡的芬芳，
让这泥土的芳香拍打城里的每扇窗棂。

孩子，戴上这顶斗笠吧，
你便把一轮月亮戴在头顶。
孩子，它可是娘心尖的一点亮呀，
让它亮在你的头顶，成为一盏不息的灯。

3 太空“清洁工”

　　辽阔的太空，有许多人造航天器围着地球运行。有的卫星帮助飞机和轮船确定方位，有的卫星观测气象变化，有的卫星维持四面八方的通讯联络。另外，太空望远镜、空间轨道站日夜不停地探索着宇宙奥秘，进行科学实验。

　　这些航天器从设计、制造到发射上天，耗费了巨大的人力、物力和财力，运行中哪怕出一点小问题也会造成难以估价的损失。可是偏有一些“捣蛋鬼”不时威胁着它们的运行安全。这些“捣蛋鬼”就是讨厌的太空垃圾。

　　太空垃圾是些什么呢？它们有的是完成了任务、已经到了设计寿命极限的报废卫星，有的是发射失败、没能进入预定轨道的航天器，还有些是发射卫星的火箭残骸。这些东西失去了地面的控制，就像高速公路上不守交通规则的车辆，横冲直撞，正常运行的航天器一旦碰上它们，立刻就会遭殃。太空垃圾的飞行速度很快，破坏力极大。而且因为外层空间空气稀薄，阻力很小，它们环绕地球飞行好多年也不会坠入大气层烧毁。

　　有没有办法清除掉太空垃圾呢？英国科学家研制

本文作者朱建群。

出一种专门用来清除太空垃圾的人造卫星，这就是我们所说的太空"清洁工"，它可以帮助解决太空垃圾这个令人头痛的问题。太空"清洁工"的质量只有6千克，制造和发射的全部费用不到100万美元。别看它个儿不大，本领可不小。它装有4台摄像机，能够搜索上下、左右、前后的情况。一旦看到太空垃圾，它就立刻靠过去，然后紧紧抓住那个"捣蛋鬼"，接着迫使太空垃圾和自己一起减慢飞行速度，在重力的作用下降低高度，一起进入稠密的大气层，这时剧烈的空气摩擦产生的高温就会将它们一同烧毁。从地面上看，就像天空坠落的流星一样。假如垃圾的体积太大，来不及在大气中完全烧毁，"清洁工"还能控制坠落时间，让它的残骸掉到沙漠或海洋中，既不会威胁空中的航天器，也不会给地上的人们带来麻烦。

有了太空"清洁工"，外层空间会干净许多，航天器的运行也安全多了。现在的做法还只能让"清洁工"和太空垃圾"同归于尽"。虽然造价不算太贵，但是清理一件垃圾就得"牺牲"一个"清洁工"，还是不合算。科学家们下一步的目标是研制更高级的太空"清洁工"，使它能够消灭掉一个太空垃圾以后，再去寻找别的垃圾，多次完成清理工作。

4 鞋匠的儿子

在林肯当选美国总统的那一刻，整个参议院的议员们都感到尴尬，因为林肯的父亲是个鞋匠。

当时美国的参议员大部分出身于名门望族，自认为是上流社会优越的人，从未料到要面对的总统是一个卑微的鞋匠的儿子。

于是，林肯首次在参议院演说之时，就有参议员想要羞辱他。

当林肯站在演讲台上的时候，一个态度傲慢的参议员站起来，说："林肯先生，在你开始演讲之前，我希望你记住，你是一个鞋匠的儿子。"

所有的参议员都大笑起来，为自己虽然不能打败林肯但能羞辱他，开怀不已。等到大家的笑声止歇，

本文作者林清玄。

林肯说："我非常感激你使我想起我的父亲。他已经过世了，我一定会记住你的忠告，我永远是鞋匠的儿子。我知道，我做总统永远无法像我父亲做鞋匠那样做得那么好。"

参议院陷入一片静默。林肯转过头来对那个傲慢的参议员说："就我所知，我父亲以前也为你的家人做过鞋子，如果你的鞋子不合脚，我可以帮你改正它，虽然我不是伟大的鞋匠，但我从小就跟父亲学到了做鞋的技术。"

然后他对所有的参议员说："参议院里的任何人，如果你们穿的那双鞋是我父亲做的，而它们需要修理，我一定尽可能帮忙。但是有一件事是可以确定的，我无法像他那么伟大，他的手艺是无人能比的。"说到这里，林肯流下了眼泪，所有的嘲笑声都化成了赞叹的掌声。

批评、讪笑、诽谤的石头，有时正是通向自信、潇洒、自由的台阶。

5 剥 豆

　　一天，我和儿子面对面坐着剥豆。当翠绿的豆快将白瓷盆的底铺满时，儿子忽然站起身，新拿一个瓷碗放在自己面前，将瓷盆朝我面前推了推。

　　我问："想比赛？"

　　"对。"儿子眼动手剥，利索地回答。

　　"这不公平。我的盆里已有不少了，可你只有几粒。"我说着，顺手抓一把豆想放到他碗里。

　　"不，"他按住我的手，"就这样，才能试出我的速度。"

　　一丝喜悦悄悄涌上心头，我欣赏儿子这种自信和大气。

　　一时，原本很随意的家务劳动有了节奏，只见手起豆落，母子都敛声息语。

　　"让儿子赢吧，以后他会对自己多一些自信。"这样想着，我的手不知不觉地慢了下来。

　　"在外面竞争靠的是实力，谁会让你？要让他知道，失败、成功皆是常事。"剥豆的速度又快了起来。

　　儿子手不停歇，目光却时不时地落在两个容器里。见他如此投入，我心生怜爱，剥豆的动作不觉又缓了下来。

"不要给孩子虚假的胜利。"想到这些，我的节奏又紧了许多。

一大袋豌豆很快剥完了。一盆一碗，一大一小，不同的容器难以比较，但凭常识，我知道儿子输定了。我正想淡化结果，他却极认真地拿来一个碗，先将他的豆倒进去，正好一碗，然后又用同样的碗来量我的豆，也是一碗，只是凸起来了，像一个隆起的土丘。

"你赢了。"他朝我笑笑，很轻松，全然没有剥豆时的认真和执著。

"是平局，我本来有底子。"我纠正他。

"我少，是我输了。"没有赌气，没有沮丧，儿子的脸上仍是那如山泉般的清澈笑容。

想到自己的瞻前顾后，小心翼翼，实在是大可不必。对孩子来说，该承受的，该经历的，都应该让他体验。失望、失误、失败，伤痛、伤感、伤痕，自有它的价值。生活是实在的，真实的生活有快乐，也一定有磨难。

6 你一定会听见的

　　你听过蒲公英梳头的声音吗？蒲公英有一蓬金黄色的头发，当起风的时候，头发互相轻触着，像磨砂纸那样沙沙地一阵细响，转眼间，她的头发，全被风儿梳掉了！

　　你听过蚂蚁小跑步的声音吗？那一天，蚂蚁们排列在红红的枫叶上准备做体操，"噗"，一粒小酸果从头顶落下，"不好，炸弹来啦！"顷刻间，它们全逃散了！

　　你听过雪花飘落的声音吗？一个宁静的冬夜，一朵小小的雪花，从天上轻轻地、轻轻地飘下，飘啊飘，飘落在路边一盏孤灯的面颊上，微微地一阵暖意，小雪花满足而温柔地融化了……

168　　本文作者桂文亚，选作课文时有改动。

如果你问，这都是想象的声音吗？我怎么听不出来呢？那么我再说清楚一点吧：

你总听过风吹的声音吧？当微风吹过柳梢，当清风拂过明月，当狂风扫过巨浪，当台风横越山岭，你总听到些什么吧？

你总听过动物的声音吧？当小狗忙着啃骨头，小金鱼用尾巴拨水，金丝雀在窗沿唱歌，当两只老猫在墙头吵架，三只芦花鸡在啄米吃，你总听到些什么吧？

你也总听过水声吧？当山间的清泉如一道银箭奔向溪流，当哗啦啦的大雨打向屋脊，当小水滴清脆地落在盛水的脸盆里，当清道夫清扫水沟里的落叶，当妈妈开水龙头淘米煮饭，当你上完厕所拉抽水马桶，你总该听到些什么吧？

说得明白一些，打从你初生那一刻哇哇大哭咯咯傻笑起，你就在听，就不得不听。你学着听奶奶摇摇篮的声音，妈妈冲奶粉的声音，爸爸打喷嚏的声音；学着听开门、关灯、上楼梯、电话铃的响声，还有弟弟被打屁股的声音。这些，随时在你身边发出的响声，你怎么会听不见呢？

你当然知道，声音就是物体振动时，与空气相激荡所发出的声响，而每一种声响，每一种声音，都代表了不同的意思。从声音里，人学会了分辨、感受各种喜怒哀乐，也吸收了知识。愉快动听的声音，固然带给我们快乐；嘈杂无聊的声音，也同样使人痛苦。从声音里，我们逐渐成长。

人有耳朵，听八方，加上眼睛，观四方。用心听，用心看，也用心想，构成了一个丰富奇妙的世界。

可是，说也奇怪，当一个人长期习惯了一种声音或者潜意识里抗拒某种声音的时候，这些竟然也会不知不觉地消失。例如，马路上急驰而过的汽车声，隔壁工厂轰隆隆的马达声，老奶奶唠唠叨叨的抱怨声，久而久之，左耳进右耳出，人，开始了声音的"过滤"。聪明的人，知道什么时候该听，什么时候不该听，这是因为他在"听"的成长过程里，学会了选择和思考。他听进心里的声音，不仅"好听"，也是"有益的"——这些声音，充实了他的生活，使他得到很多乐趣。

可是对一个不用心听又没有兴趣听的人来说呢？

图·金松

久而久之，就成了"没有感觉"的人。当大家说"好"的时候，他盲目地跟着鼓掌；大家批评的时候，他也跟着摇头。鸟叫虫鸣，只是一种"声音"，即使美妙的音乐，也只不过是几种乐器的组合。想想看，如果一个"充耳不闻"的人，对外界的一切已经无动于衷，必然也是一个"视而不见"的人了。当一个人丧失了接收"世界声音"的能力，他不就成了一个不折不扣的木头人吗？

你善用你的耳朵了吗？你听见世界的声音了吗？你用心听了吗？你听见了什么？

这里的一个声音游戏，你要不要试着玩玩看，也试着把感觉记录下来？

轻轻松松嚼几片脆脆的饼干、几颗硬硬的糖果，感觉一下是什么声音？

把玻璃纸揉成一团，然后聆听它缓缓舒展的声音。

用两根筷子敲一敲家里的各种器皿，比较它们的声音。

听一听落到玻璃上雨滴的声音。

听一首喜爱的音乐，把它编成一个故事。

录下自己或亲人、朋友的一首歌，仔细听一听。

你开始微笑，轻轻地笑，大声地笑，这时候，你一定会听见，这个世界，也跟着你欢笑。

7 木　笛

　　有个乐团在南京招考演员，其中一名是木笛演奏员。

　　考试要求苛刻，竞争激烈，应聘者都是乐坛高手。招考要经过初试、复试和终试三轮。两轮过后，每一种乐器只剩下两名乐手。

　　终试在艺术学院阶梯教室进行。所有的应试者都在室外静候。房门开了，探出一个头来。这个人大声说："木笛。朱丹。"

　　话音未落，从一排腊梅盆景中站起一个人来，他看上去修长、纤弱，一身黑色云锦衣衫仿佛把他也紧束成了一株梅树。衣衫上的梅花，仿佛开在树枝上。朱丹轻轻走进屋，小心地从绒套中取出木笛。然后，他抬起头，看见远远地坐着一排主考官。考官们个个正襟危坐，不苟言笑。

　　坐在主考席正中的，是一位声名远扬的外国音乐大师。

　　大师什么也没说，只是默默地打量着朱丹。那神色，仿佛是罗丹在打量雕塑作品。

　　半晌，大师随手从面前的一叠卡片中抽出一张，并回头望了一下坐在身后的助手。助手接过卡片，走过去递到朱丹手中。

本文作者赵恺，选作课文时有改动。

卡片上写着：第一项，任选一首乐曲表现欢乐。

看过卡片，朱丹眼里闪过一丝悲戚。沉默片刻之后，他向主考席深深鞠了一躬，然后抬起头，轻轻地说："请原谅，我可以不演奏欢乐的曲目吗？"

这轻轻的一句话，犹如闷雷在会场爆裂。一时间，所有主考官都窃窃私语起来。

过了一会儿，大师冷峻地问："为什么？"

朱丹答："因为——今天我不能演奏欢快的乐曲。"

大师问："为什么？"

朱丹说："因为今天是 12 月 13 日。"

大师问："12 月 13 日是什么日子？"

朱丹说："是南京大屠杀遇难同胞纪念日。"

很久，很久，考场一片沉寂。

大师问："你没有忘记今天是考试吗？"

朱丹说："没有忘记。"

大师说："你是一个很有才华的青年，应当懂得珍惜艺术前途。"

朱丹说："请原谅……"

没等朱丹说完，大师便向朱丹挥挥手，果断而又惋惜地说："你现在可以回去了。"

听到这句话，朱丹的眼中顿时涌出苦涩的泪水。他向主考席鞠了一躬，把抽出的木笛小心地放回绒套，转过身，默默地走了。

入夜，南京城开始飘雪。朱丹披着雪花，向南京大屠杀遇难同胞纪念碑走去。

　　临近石碑，只见一片莹莹光亮，像曙色萌动，像蓓蕾初绽，像墨滴在宣纸上无声晕染。走近一看，竟是一个由孩子组成的方阵。有大孩子，有小孩子；有男孩子，有女孩子；他们高矮不一，衣着不一，显然是自发聚集起来的。他们的头上、肩上积着一层白雪，仿佛一片幼松林。每个孩子手擎一支红烛，红烛流淌着红宝石般的泪。

　　顷刻之间，雪大了，一团一团，纷纷扬扬地飘洒下来。

　　朱丹伫立雪中，小心地从绒套中取出木笛吹奏起来。笛声悲凉凄切，犹如脉管滴血。寒冷凝冻着这声音，火焰温暖着这声音。坠落的雪片纷纷扬起，托着笛

174

声在天地间翻然回旋。

　　孩子们在静静地倾听，他们似乎听懂了这如泣如诉的笛声。

　　吹奏完毕，有人在朱丹肩上轻轻地拍了一下。他回头一望，竟然是那位音乐大师。

　　朱丹深感意外，连忙回身向大师鞠躬。大师说："感谢你的出色演奏，应该是我向你鞠躬。"朱丹连忙说："考场的事，请大师原谅。"

　　大师说："不，应该是我请求你的原谅。现在我要告诉你的是，你虽然没有参加终试，但已被乐团录取了。"

　　说完，大师紧紧握住朱丹的手。朱丹的手中，紧紧握着木笛。

8 百泉村（四章）

山

你爱我们这里的山吗？

你看这四周的群山，你会发现，南山像一把怒刺云霄的剑，北山像猴儿捧着蜜桃，东山像两座驼峰，西山像雄鹰展翅。

你不觉得你是生活在童话世界里么？

这儿，山高谷狭，阳光和月光，常把山影儿描画在对峙的山峰上。

你走在这峡谷道上，仰望青蓝的天，像一条带子；两面的高山，像碧绿的屏障。

我们这儿的每一座山，都包含着一个美丽的故事，那是储存在我们心底的财富。

我想，你会爱我们的山的。

泉

你爱我们山中的泉吗？

山涧里流着小溪。当春天来到的时候，桃花瓣儿、杏花瓣儿会随风飘洒在水面上，让小溪流带着它们，像载着一只只小船，漂到山外去。

冬天里，山中静得很，但你可以听见泉水一滴、一滴，滴落在深潭里的声音。

本文作者金波。

是的，这儿山崖的石缝里，有涓涓的细流；山脚的深潭里，有暖暖的泉水；泉边，即使是在冬天，也长着青青的小草。

我想，你会爱我们这山中的泉的。

小小山村

你爱我们这山环水绕的小山村吗？

它那么小，即使你走进群山的怀抱，你也不容易发现它。它坐落在深深的山谷里。

当你在峡谷里行走时，你会听见鸡的鸣叫、狗的吠声，还有孩子们的歌声和山村小学的铃声。你走进那山道口，你就能看见它——我们美丽的百泉村。

村里，路面是用石头铺的，房屋是用石头盖的，围墙是用石头砌的，猪窝、鸡舍也是用石头垒的。

家家户户像贴在半山腰上，一层房子一层楼。那儿，牛羊在山上散步，清泉在檐下流淌。

我们小小的山村，像一颗珍珠，别在大山的衣襟上。

我想，你会爱我们这小小山村的。

家

你爱我们的家吗？

走进我家的院子，你会看到坐北朝南的一排新房，房檐、房柱都是一色儿新的，散发着树脂的香味。阳光照在窗棂、门楣和玻璃上，白得耀眼。

在我家小院的西头，你迈下几级石阶，就会看见一眼泉水。它离地面只有一尺深，灿然如一块明镜。泉边铺着一圈石头，脚常踩的地方，磨得光光的；水常浸的地方，长着厚厚的青苔。

我总喜欢伏在泉边，照个影儿，清清亮亮的；喊几声儿，嘤嘤嗡嗡的。

泉边汲水方便极了。泉边长着一棵桃树，树上挂着爷爷用树杈削成的一根拐棒儿，我就用它钩住小桶汲水。每次，桶底儿刚轻轻碰到泉水，泉里就发出丁丁冬冬的响声，那声音是深沉的、遥远的，好像空谷传音。

每当听到这泉水中的声响，我就这样想，那深山里一定藏着鸟儿的歌声，那歌声就顺着山泉流进了我家的泉眼吧！

我家的这眼泉水是温泉。当隆冬时节，山涧的清流都结了冰，群山也覆盖着白雪，我家这泉水还蒸腾着温暖的水汽，它的四周还是绿草丛生。

我好客的爷爷，总喜欢给我们讲这个有趣的故事，他说：春天的小女儿，爱上了我们这小小的山村，冬天的时候，她就住在我家的这眼泉水里……

不用问，你也会爱我们的家的。

生 字 表 (一)

1　窃 腋 哟 娄 惧 辘 撑
　　qiè yè yō lán jù lù chēng

2　彭 侠 嗯
　　péng xiá ńg

3　侣 娱 趟 诵
　　lǚ yú tàng sòng

4　喻 扉 呐 瘾 囵 囹 莎 磁 锻 鉴
　　yù fēi nà yǐn hú lún shā cí duàn jiàn
　　呕 沥
　　ǒu lì

6　魂 幽 葬 颇 腮 玷 秉 谓 飕 衰
　　hún yōu zàng pō sāi diàn bǐng wèi sōu shuāi
　　侨 眷
　　qiáo juàn

7　箩 杭
　　luó háng

8　潺 婀 粼 涸 缀 螃 蟹
　　chán ē lín hé zhuì páng xiè

179

9　腭(è)　鳍(qí)　滤(lù)

10　驯(xùn)　榛(zhēn)　榉(jǔ)　栗(lì)　矫(jiǎo)　缨(yīng)　舵(duò)　苔(tái)　藓(xiǎn)　狭(xiá)
勉(miǎn)

11　嫌(xián)　恙(yàng)　藕(ǒu)　噪(zào)　废(fèi)

12　勿(wù)　埃(āi)　漉(lù)　晕(yùn)

13　鲈(lú)　饵(ěr)　纵(zòng)　鳃(sāi)　翕(xī)　皎(jiǎo)　唇(chún)　沮(jǔ)　抉(jué)　诫(jiè)
践(jiàn)

14　黛(dài)　宴(yàn)　纫(rèn)　绎(yì)

15　茅(máo)

16　蔓(wàn)　茏(lóng)　瞅(chǒu)　雏(chú)　框(kuàng)　嚓(cā)　蜡(là)　嗒(dā)　腻(nì)　睑(jiǎn)
眸(móu)　咂(zā)　泻(xiè)

第五组

shēng	jiù	zhuī	hóng	yū	diǎn	pōu	zhù	gōng	gē
甥	舅	锥	鸿	迂	典	剖	蛀	恭	搁

yì	yīn	cuò	yì	lì	jū	yùn	piě	nà	hàn
诣	殷	挫	抑	隶	拘	韵	撇	捺	瀚

zhī	chěng	mèi
脂	骋	魅

17
shān	jī	hùn	xī	xū	màn	bào	lì
杉	矶	混	昔	墟	曼	爆	砾

18
xiàn	lù	zuàn
陷	碌	攥

19
miǎn	tiǎn	téng	bǎn	qí	jǐn
腼	腆	誊	版	歧	谨

20
niān	ō	zhèng	dié	jiān	sè	zhuì	tǎn	tè	tà
蔫	噢	怔	喋	艰	涩	坠	忐	忑	沓

yǐ
倚

21
lóng	tī	lái	yáo	hóng	jìn
珑	剔	莱	瑶	宏	烬

22
kòu	gě	hǒu	lūn	bēng	qí	qū	shī	zhǎn	sōu
寇	葛	吼	抡	绷	崎	岖	尸	斩	嗖

23
mǐn	zhū
闽	诸

	kòu	chà	xiāo	suǐ	zhù				
24	叩	刹	硝	髓	铸				

	bó	wán	mín						
25	礴	丸	岷						

	qíng	niǔ	zhān	niè	dǎng				
26	擎	钮	瞻	聂	党				

	nǐ	xūn	xùn	fù	ma	chóu	chú	àn	
27	拟	勋	殉	赴	嘛	踌	躇	黯	

	niǎn	bò	jī	ǎn	zhī	tǒng	chuī	qì	cí	yǎo
28	碾	簸	箕	俺	吱	筒	炊	沏	瓷	舀

	tiáo								
	笤								

（共 200 个字）

生 字 表 (二)

1　窃 炒 锅 踮 哟 饿 惧 充 檐 皱
　　碗 酸 撑 柜

3　侣 娱 盒 豫 趟 诵 零 编 某

5　洛 榆 畔 帐

6　魂 缕 幽 葬 愁 腮 甚 绸 呜 谓
　　梳 衰 绢 侨

9　鲸 猪 腭 哺 滤 肚 肺 矮 判 胎

11　盗 嫌 夹 恙 藕 粘 噪 废

13　捞 饵 溅 钩 翼 纵 啪 鳃 皎 唇
　　沮 诱 诫 践

15　亩 尝 吩 咐 茅 榨 榴

17 杉 矾 混 昔 墟 曼 疾 爆 砾 砸 颤

19 糕 迪 搂 豪 誉 置 司 妙 版 慈 祥 歧 谨 慎

21 损 皇 珑 剔 杭 莱 瑶 宏 宋 侵 统 销 瑰 烬

22 庙 务 葛 吼 腔 崎 岖 尸 斩 坠 雹 仇 恨 眺

25 丸 崖 岷

26 典 副 委 协 宾 泽 奏 诞 钮 瞻 拂 骑 嗓 党

(共150个字)

后 记

我们在根据教育部制定的《全日制义务教育语文课程标准（实验稿)》编写这套义务教育课程标准实验教科书时，得到了许多教育界前辈和各学科专家学者的帮助和支持。在本册教科书终于和课程改革实验区的师生见面时，我们特别感谢担任这套教材总顾问的丁石孙、许嘉璐、叶至善、顾明远、吕型伟、梁衡、金冲及、白春礼，感谢担任编写指导委员会主任委员的柳斌和编写指导委员会委员的江蓝生、李吉林、杨焕明、顾泠沅、袁行霈，感谢担任学科顾问的刘国正、李吉林、柯岩、顾明远、蒋仲仁，感谢担任学科编写委员会委员的丁培忠、齐文华、李莉莉、吴立岗、肖复兴、周光旋、周根宝、胡富强、舒镇，并在此感谢对这套教材提出修改意见、提供过帮助和支持的所有专家、学者和教师。

为了编好这套教材，我们通过多种渠道与收入本教材作品的作者进行了联系，得到了各位作者的大力支持。在此，我们深表谢意。但是，由于一些作者的姓名和地址不详，暂时还无法取得联系。恳请入选作品的作者尽快与我们联系，以便作出妥善处理。

课程教材研究所
小学语文课程教材研究开发中心